首都圏の労学がロシア大使館に怒りのデモ（２月25日、東京都港区）

〈プーチン……粉砕せよ

改憲・大軍……政権打倒！

全学連が国会・首相官邸に向け戦闘的デモ（２月３日）

「ウクライナ連帯行動世界週間」（2024年２月）を呼びかけるＥＮＳＵサイトのイラスト　―― 本誌本号29頁～の「闘うウクライナ人民と連帯して」を参照

『コモンズ』誌のサイトに掲載された「ウクライナ－パレスチナ連帯グループ」の「パレスチナ人民と連帯するウクライナからの手紙」のコラージュ（2023年11月２日）　―― 本誌本号35頁を参照

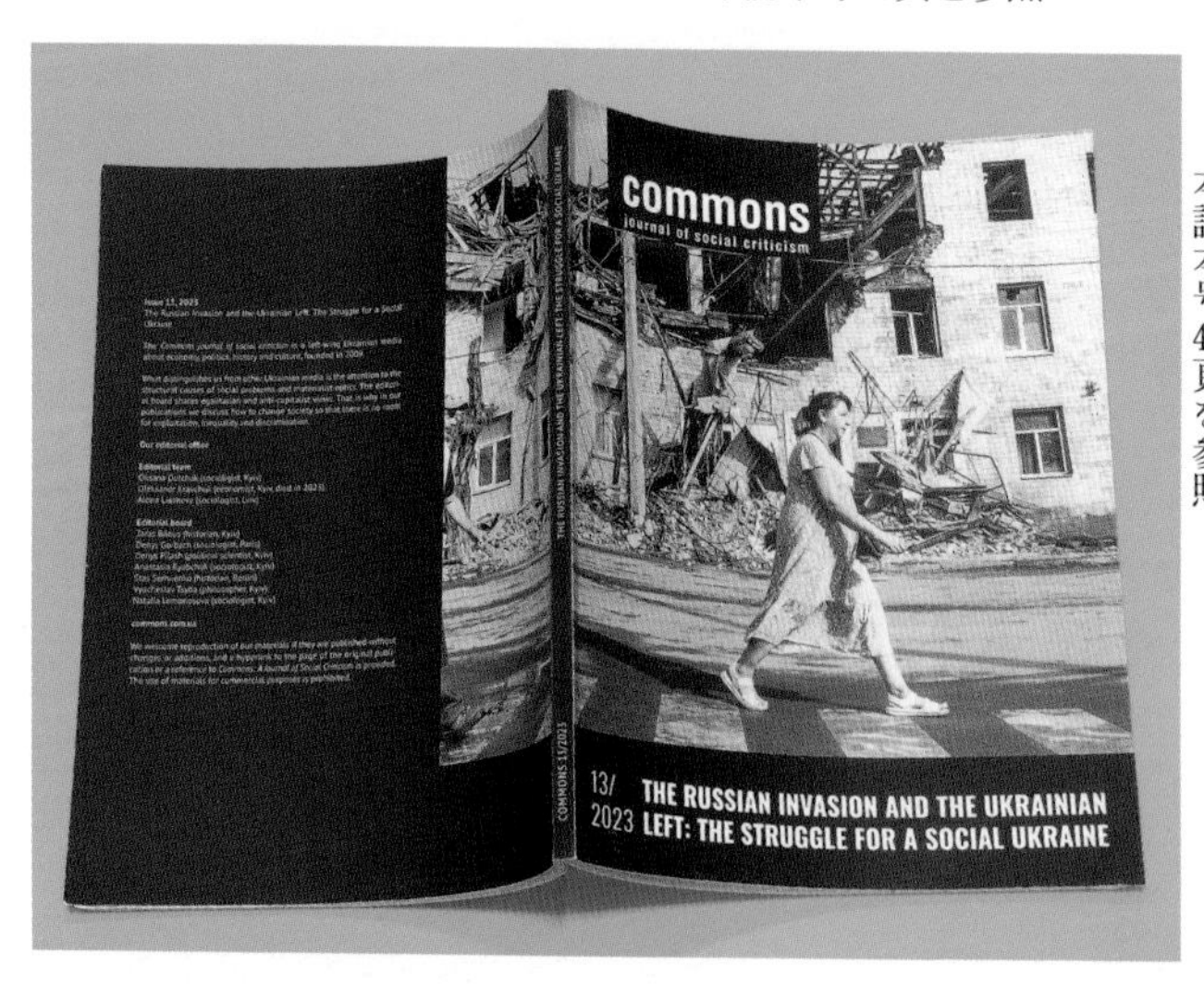

オクサナ・ドゥチャクさんの「ウクライナ・レジスタンスに敵対する左翼のデタラメな10の主張」を掲載している『コモンズ』誌２０２３年第13号。冊子の特集タイトルは「ロシアの侵略とウクライナ左翼：社会的ウクライナのための闘争」。ロシアの侵略以降は電子版の発行しかできなかったが13号は90頁の冊子を復活させている　―― 本誌本号49頁を参照

ロシアのウクライナ侵略から二年 世界各国の闘い（2月24日）

ハンガリー ブダペスト

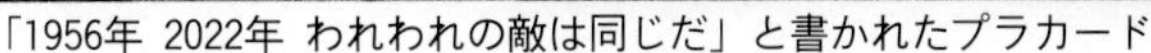

「1956年 2022年 われわれの敵は同じだ」と書かれたプラカード

スイス ベルン 「もしロシアが戦いをやめたら、戦争はなくなる」「もしウクライナが戦いをやめたら、ウクライナはなくなる」

フランス パリ

スペイン バルセロナ

上 共和国広場に1万人が結集 「労働組合はウクライナのレジスタンスを支持する」「平和、ロシア軍のウクライナからの撤退を」

下 「バルセロナはウクライナとともにある」

ロシアの侵略開始から二年
ウクライナ反戦に起つ

東海のたたかう労働者・学生が戦闘的デモ（２月25日、名古屋市）

「〈プーチンの戦争〉粉砕！」大阪市街に闘う労学のシュプレヒコールが轟く（３月３日）

辺野古新基地建設阻止！

上「大浦湾への土砂投入阻止！」全国の学生が怒りの拳（１月12日、瀬嵩の浜）
右 沖縄県学連が自民党県連にデモ（１月27日、那覇市）

新世紀

第 330 号（2024年5月）

The Communist

帝国主義打倒！
　スターリン主義打倒！
　　万国の労働者団結せよ！

2024年 5月　No.330　目次

新世紀

日本革命的共産主義者同盟 革命的マルクス主義派 機関誌

〈プーチンの戦争〉を粉砕せよ！

ロシアのウクライナ侵略二年に際して

世界で労働組合がウクライナ反戦に決起

ロシアによるウクライナ軍事侵略の開始から二年――今ほど労働者・人民が〈プーチンの戦争反対〉の声をあげ全世界で起ちあがるべき時はない。

現に今この時に、ヨーロッパの各地で、パリやロンドンをはじめとする多くの主要諸都市で、大規模な集会・デモがたたかわれている。労働組合自身が「プトラー（プーチン＋ヒトラー）の暴虐をこれ以上許すな」「闘うウクライナを孤立させるな」という声をあげて起ちあがっているのだ。

この欧州の労働者たちの決起は、「ウクライナ自由労働組合連合」（ＫＶＰＵ）の呼びかけや、「ウクライナ連帯ヨーロッパ・ネットワーク」（ＥＮＳＵ）の働きかけによって実現したものにほかならない。

「ウクライナ自由労働組合連合」は訴えている。

「私たちは、ウクライナ自由労働組合連合の仲間が、わが国の自由と平和のために抵抗し闘い続けていることを、改めて表明します。」「皆様のご支援は、国際的姉妹関係の象徴であるだけでなく、この戦争の恐怖に耐えているすべてのウクライナ人民にとって、希望と立ち直りの光でもあります」と。

　また、「ウクライナ連帯ヨーロッパ・ネットワーク」は呼びかけている。

「ウクライナ人民は、この侵略の受動的な犠牲者になることを拒否し、侵略にたいして武装・非武装を問わずこぞって抵抗しています。」「プーチンにたいするウクライナの最終的勝利が象徴するものは、世界支配のための大国間抗争における西側の勝利などではない。それはなによりも、ウクライナ人民の不屈の抵抗とその将来を決定する権利の勝利なのです。／私たちは、二月二十四日前後の一週間を、ロシアの侵略に反対しウクライナと連帯する国際的行動の時期とすることを呼びかけます」と。

〔KVPUとENSUの呼びかけについては一六〜一九頁を参照〕

　昨二〇二二年二月の侵略開始一年の際には、このENSUの呼びかけに全世界二十ヵ国四十六団体が応え統一行動が実現された。そしてわが革マル派もこの呼びかけ団体に加わった。今年はさらに大きな闘いを巻きおこし、侵略者プーチンを包囲しなければならないのだ。

プーチンの世紀の大犯罪を許すな！

　＜プーチンの戦争＞とはいったい何であるのか。それは、ウクライナをロシアの版図に組みこむために、ひとつの独立した国であるウクライナを民族もろとも抹殺することを狙った世紀の蛮行にほかならない。ロシア権力者どものこの蛮行は、「ソ連社会主義」（実はエセ・マルクス主義としてのスターリン主義）が「圧政と貧困」の別名となり崩壊してしまった（一九九一年）にもかかわらず、これを「地政学的大惨事」（プーチン）などとうそぶいてその版図を復活させるという野望にもとづく。

　米欧によるウクライナ支援の打ち切り・縮小に欣喜雀躍しているプーチン。思いあがったこの「ロシア皇帝」は、三月大統領選にむけて多くの人民に支持されて出馬しようとした反プーチンの立候補者を、様ざまの難癖をつけて立候補資格を剥奪し排除した。それだけでなく、「一四〇〇億円のプーチンの私邸」などを暴いてきた野党指導者ナワリヌイをシベリアの刑務所で謀殺した。

だが今ロシア人民は、マフィアのボスのごときこうした悪行を前にして、「プーチンの圧政を許すな」「戦争をやめろ」という声を各地であげはじめている。

ロシアの労働者・人民よ。プーチン政権とはいったい何なのか？　「ソ連社会主義」時代の国有財産を、みずからの地位を利用してあの手この手で簒奪したかつてのスターリン主義官僚ども。この特権官僚どもが君臨し支配しているのが、現在のロシアFSB〔連邦保安庁〕強権型国家なのだ。みずからに刃向かう者はあるいは見せしめ的に抹殺し・あるいは謀殺する。そのやり方は、まさに旧ソ連時代と瓜二つではないか。わずか一%の特権階層が国の「富」の七五%を独占している。このことも、旧ソ連時代と同断ではないか。まさに「スターリンの末裔」プーチンの世紀の大犯罪というゆえんである。

ロシアの労働者・人民よ！

プーチンが戦争の継続と長期化を号令している今こそ、「ウクライナ侵略反対、プーチン政権反対」の声をあげよ。ウクライナの労働者・人民とりわけその先端でたたかう者は、ロシアの労働者・人民を決して敵視してはいない。彼らは、敵はプーチンとその一味であることを鮮明にし、ロシア・ウクライナ両国の人民はともに手に手をとって進むことを呼びかけているのだ。

全世界の労働者は、世界の各地で〈プーチンの戦争反対〉の運動を巻きおこせ！　それこそが、苛酷な弾圧にさらされているロシア人民への檄となりプーチンにトドメを刺すことになるのだ。

闘うウクライナ人民との連帯を！

わが革マル派はこの二年間、ウクライナ反戦の闘いを反スターリン主義革命的左翼の矜持にかけて断固としておしすすめてきた。そして同時に、ウクライナの闘う左翼の人々との交流をもおこなってきた。われわれの声明や論文を翻訳して送ったり、メッセージなどをやりとりしたり、さらにはわれわれが彼らを訪問して論議したりしてきたのである。そして同時にわれわれは、ウクライナのレジスタンスに敵対しプーチン擁護論をばらまく一部の欧州左翼どもの恥知らずな主張を粉砕するためにたたかってきた。

「プーチンよりもウクライナをけしかけているNATOの方が悪い」「自分たちの政府がウクライナでの殺戮のために武器を送るのを阻止せよ」――こうした主張は、ロシアという一方的な侵略者とこれに抵抗するウクライナ人民との実体的対立さえ無視抹殺し後者を敵視する、あまりにも反労働者的・反マルクス主義的で非人間的な戯言(たわごと)ではないか。

われわれはくりかえし訴える。核大国ロシアの暴虐にたいして闘うウクライナ人民を孤立させてはならない。ウクライナ人民の最先端で闘う部分は、ロシアの侵略に抗しレジスタンスを闘うと同時に、戦争の長期化のなかでウクライナ政府の新自由主義的政策に反対し労働組合の強化をかちとりつつある。彼らがめざしているのは労働者が資本の鉄鎖に縛られる道では決してなく、「真に平和で真に民主主義的な社会主義」なのだ。この彼らプロレタリアの兄弟を、世界の労働者階級は孤立させてはならないのだ。

既成指導部の腐敗をのりこえ反戦闘争を推進しよう！

われわれは、ウクライナの闘う人々と固く連帯して、既成指導部の腐敗した対応を弾劾し断固としてたたかわなければならない。

日共の志位＝田村指導部は、「『国連憲章守れ』の一点での世界の団結」なるものを各国権力者に弱々しくお願いしているにすぎない。わが革マル派の主張に共鳴する良心的部分が広汎に生みだされ、組織的大混乱に叩きこまれているがゆえに、彼らはいまやウクライナ反戦の運動から逃亡してしまっているのだ。

すべての労働者・学生・市民諸君！　こうした日共の腐敗をも弾劾しのりこえ、今こそウクライナ反戦闘争の大きな高揚を切り拓こうではないか。

また今日、欧州の一部の左翼などは、「ネタニヤフのガザ人民虐殺反対」を唱えながら、同時に「ウクライナへの軍事援助は停止せよ」などと叫んでいる。だがプーチンとネタニヤフは共に人民の虐殺者であって、まさにこのゆえにウクライナの闘う人々は、ガザ人民とウクライナ人民との連帯を表明しているのだ。

われわれは、ウクライナ反戦とともに、イスラエルのシオニスト権力によるガザ人民皆殺し攻撃に反対する闘いをおしすすめるのでなければならない。一五〇万人もの人民が避難している南部ラファにたいする総攻撃＝人民大殺戮を絶対に阻止せよ！

すべての労働者・学生諸君！　残虐無比な戦争をうち砕くために、そして「暗黒の世紀」を覆し「戦争も搾取も抑圧もない世界」を切り拓くために、革マル派と共にたたかおう！

（二〇二四年二月二十四日）

全学連・反戦青年委員会がロシア大使館に弾劾の拳
（２月25日、東京都港区・飯倉交差点）

〈プーチンの戦争〉粉砕！
全世界の労働者・人民と連帯し
全国で労学統一行動に起ちあがれ

プーチン・ロシアによるウクライナ軍事侵略の開始から二年に際して、革共同革マル派は日本の、そして全世界の労働者・人民に訴える！

来たる二月二十五日および三月三日、日本全学連のたたかう学生たちと反戦青年委員会のたたかう労働者たちは、日本各地において「〈プーチンの戦争〉粉砕！」の怒りのデモンストレーションに決起する。

日本の、そして全世界の労働者・人民は、わが革命的左翼とともに、〈プーチンの戦争〉をうち砕くウクライナ反戦闘争に起て！

ロシアのウクライナ侵略開始二年にあたっては、昨二〇二三年にひきつづき、ＥＮＳＵ（ウクライナ連帯ヨーロッパ・ネットワーク）のよびかけのもと、世界中で統一行動が予定されている。わが同盟も、昨年同様よびかけ団体に加わる。たたかう労働者・学生諸君！　世界各国で起ちあがる労働者・人民とともに、労学統一行動の大爆発をかちとれ！　日本のすべての労働者・人民よ！　全世界人民と連帯し、ロシアのウクライナ侵略反対の闘いに今こそ総決起せよ！

われわれは、二〇二二年二月二十四日にプーチンの放った侵略軍がウクライナへの軍事侵攻を開始したその瞬間から、「ロシアのウクライナ侵略弾劾」の闘いを全世界の最先頭で断固として創造してきた。

ウクライナという国と民族を丸ごとロシアに組みこむために、これに抵抗する人民への虐殺・拷問・強姦・拉致を強行してきたプーチンのロシアにたいして、わが革命的左翼は断固たる反戦の闘いを創造してきたのである。

だがしかし、この「スターリンの末裔」にして・今ヒトラーたるプーチンの暴虐を目の当たりにしているにもかかわらず、「ロシアよりもＮＡＴＯが悪い」などとほざいてこれを擁護してきたのが、欧州をはじめ世界各国の一部の自称「左翼」どもにほかならない。

あまつさえ、プーチンの侵略に抗して戦うウクライナの労働者・人民のレジスタンスに敵対さえしてきたのが、この腐敗した「左翼」どもなのだ。

この自称「左翼」どもの腐敗を怒りを込めて弾劾し、そしてその根拠が「スターリン主義との対決の欠如」にあることを満天下に暴きだし・弾劾しつつ、ウクライナ反戦闘争を唯一創造してきたのが、わが反スターリン主義革命的左翼なのである。

今こそわれわれは、渾身の力を込めて訴える！　全世界の労働者・人民は、〈プーチンの戦争〉という世紀の暴虐をうち砕くために、ウクライナ反戦の嵐を全世界から巻きおこせ！

日本のたたかう労働者・学生は、日共ネオ・スターリニスト党による闘争放棄をのりこえ、ウクライナ反戦闘争の炎を日本全国から燃えあがらせよ！

こうした闘いの前進こそが、たたかうウクライナの労働者・人民への連帯となり、プーチンの侵略をうち砕く現実的な力となるのである。

すべての労働者・人民は、わが革マル派とともに今こそ起ちあがれ！

プーチン・ロシアの世紀の大犯罪を断じて許すな！

プーチンの放ったロシア侵略軍はいま、東部戦線においてウクライナ軍が死守しているアウディーイウカ（ドネツク州）に猛攻撃をしかけるとともに、首都キーウなど各都市へのミサイル攻撃を連続的に強行している。ウクライナ軍へのアメリカからの軍事支援の再開が――バイデン政権の失政を演出せんとするトランプ・ファーストの「鶴の一声」で、上院の共和党が民主党との合意案をみずから葬りさったことのゆえに――絶望的となっていることにほくそ笑みながら、プーチンはウクライナへの軍事攻撃を拡大しているのだ。

まさにいまプーチンは「ウクライナの非ナチ化・非軍事化」、すなわち現政権の倒壊を狙って、ウクライナ人民に襲いかかっているのだ。断じて許すな！

ロシア国内では、大統領選挙（三月十五～十七日）をまえにして、プーチン政権は、「反戦」やプーチンを批判する声をあげる人びとへの強権的弾圧に狂奔している。「特別軍事作戦」という名の戦争に反対を訴える候補に、大統領選候補者登録に必要な一〇万人を超える署名が集まったことに恐怖しているのが、臆病者の独裁者・プーチンなのだ。

　ロシアの労働者・人民の「反戦」の声を官憲の暴力でもって圧殺し・彼らを組みしきながら、ウクライナへの侵略・人民虐殺に狂奔するプーチン。このプーチンにたいする煮えたぎる怒りに燃えて、全世界労働者・人民はプーチンを包囲する反戦の闘いを今こそ巻きおこせ！　ロシアの労働者・人民は、プーチン政権の圧制に抗して起ちあがれ！

　〈プーチンの戦争〉とは何であるのか。それは、ウクライナをロシアの版図に組みこむために、ウクライナという国も民族も抹殺することを狙った蛮行にほかならない。

　一九九一年に崩壊したスターリン主義ソ連邦の版図を復活させるという野望にもとづいて、ウクライナをのみこもうとしているのがプーチンら特権支配層だ。ソ連時代の国有財産を簒奪したプーチンおよびプーチンを大統領にかつぎあげるシロビキども。この特権支配層が君臨しているのがロシア「ＦＳＢ強権型」国家にほかならない。そして、その支配地域を拡張せんとして強行しているのがウクライナにたいする侵略戦争なのだ。まさにそれは、ＫＧＢ出身者などで構成される特権的な支配層の利害を守るための侵略戦争いがいの何ものでもないのであって、「スターリンの末裔」プーチンの世紀の大犯罪にほかならないのである。

　このプーチンの暴虐をうち砕くために、断固たる闘いを創造しているのは、わが反スターリン主義革命的左翼をおいてほかにはいない。スターリン主義ソ連邦の自己解体的崩壊をば〈歴史の大逆転〉ととらえ・これを〈再逆転〉するために命をかけてたたかいぬいた同志黒田寛一、彼に導かれたわが反スターリン主義運動こそが、〈プーチンの戦争〉をうち砕く闘いを、世界の先頭で切りひらいているのだ。

　全世界の労働者・人民よ！　今こそわが革命的左翼とともに決起せよ！　〈プーチンの戦争〉をうち砕く反戦のデモを全世界から巻きおこせ！

全世界からウクライナ反戦の闘いを創造せよ！

すべてのたたかう労働者・学生諸君！　わが革命的左翼は、ウクライナ反戦闘争の大爆発をかちとるのでなければならない。

日共の志位＝田村指導部は、ウクライナ反戦の大衆的闘いをよびかけることなく、『国連憲章守れ』の一点での世界の団結」なるものを各国権力者に弱々しくお願いしているにすぎない。

首都圏の闘う労学が全世界人民と連帯しロシア大使館へ戦闘的デモ（２月25日）

「ウクライナ問題」をめぐるわが革命的左翼のイデオロギー的＝組織的闘いの断固たる貫徹によって、わがウクライナ反戦闘争に共鳴して党中央に造反する良心的党員たちと、いまなおプーチンのロシアを擁護するオールド・スターリニスト党員とに、日共党組織は分解・分裂の度を深めている。このゆえに代々木官僚は、〝ウクライナ反戦にとりくめば党は崩壊する〟と戦々兢々となって、ウクライナ反戦の運動から逃亡しているのだ。

代々木官僚は、「ロシアよりもNATOを批判せよ」と党中央を突きあげるプーチン擁護派の連中を抑えこむこともできず党内に抱えつづけている。まさにそれは、代々木官僚じしんもまた——プーチン擁護派の連中と同様に——スターリン主義ソ連邦の自己解体的崩壊という世紀の事態との対決も、世界革命を裏切ったスターリン主義との対決もはなから放棄している輩であるからなのだ。

今こそ、日共ネオ・スターリニストどもの犯罪を満天下に暴きだし・弾劾せよ！　たたかう労働者・学生は、心ある日共党員たちに、党中央と袂をわかち、わがウクライナ反戦闘争に起ちあがるべきことをうながしつつ、ウクライナ反戦闘争の怒濤の前進を切りひらけ！

すべての諸君！　わが同盟は、ロシアのウクライナ軍事侵略の直後から、「ウクライナ社会運動（ソツィアルニィ・ルフ）」をはじめとするウクライナ左翼の人びととの交流を、われわれの声明・論文の送付、手紙・SNSをつうじての意見交換など様ざまなかたちでおこなってきた。昨年には、国際部および全学連OBの若い仲間を中心にヨーロッパの諸都市において、彼らと膝を交えて討論してきた。

わが機関紙『解放』に連続的に掲載された彼らの諸論文を見よ（本誌本号「闘うウクライナ人民と連帯して」その1〜その3を参照）。彼らウクライナのたたかう左翼は、ウクライナ人民のレジスタンスに敵対する自称「左翼」どもにたいして、マルクス主義者として怒りに満ちて対決しながら、プーチンの侵略にたいして果敢にたたかっている。そして、「民主的社会主義」を掲げ、「親ロシア・親ソ連」を峻拒すると同時に資本主義への幻想など微塵ももたないマルクス主義者としてたたかっているのである。

われわれ日本の革命的左翼は、彼らウクライナのたたかう左翼とともに断固としてたたかおうではないか。

われわれは日本の地においてウクライナ反戦闘争を全力で推進するそのただなかで、ロシアの労働者・人民に心からよびかける。

プーチンによる強権的弾圧のもとで呻吟する労働者・人民よ！　そしてプーチンによって家族が兵士に駆りだされ無惨な死を強制されたことへの怒りに燃えて、「反戦」の声をあげる人民よ！　今こそ、ウクライナの労働者・人民と連帯し、〈ウクライナ侵略反対＝ＦＳＢ強権型支配体制打倒の闘い〉に起ちあがれ！

侵略戦争に動員しウクライナの人民に銃口を向けさせている、プーチンらロシアの権力者ども。このソ連時代のＫＧＢ出身者でありＦＳＢの中枢であるシロビキどもは、スターリン主義ソ連邦時代の国有財産の簒奪者にほかならない。ロシアの労働者・人民を貧困に突きおとし・彼らの上に君臨する特権支配層が手にしている莫大な富こそ、ありとあらゆる汚いやり方によってソ連邦の国有財産を二束三文で買いたたいて簒奪したものにほかならない。

このことを今こそ自覚し、そして憤激を燃やして、ウクライナ侵略反対＝ＦＳＢ強権型支配体制打倒に起て！　心ならずもロシア兵として動員されている人民よ！　その銃口をプーチンら支配者どもに向けよ！　一九一七年のプロレタリア革命を実現し・革命ロシアを樹立したロシア労働者階級・農民が、諸君の父祖たちが発揮したあの革命的精神を、今こそ甦らせてたたかおうではないか！

全世界の労働者・人民よ！　たたかうウクライナ人民を決して孤立させるな！　プーチンを包囲するウクライナ反戦の炎を全世界から巻きおこせ！

すべての諸君！　ウクライナ反戦闘争とともに、イスラエルのシオニスト権力によるガザ人民皆殺し攻撃に反対する闘いを巻きおこせ！　一五〇万人もの人民が避難している南部ラファにたいする総攻撃＝人民大殺戮を絶対に阻止せよ！　パレスチナ解放闘争の拠点となってきたガザからパレスチナ人民を叩きだし・ガザを軍事占領することを狙った、この世紀のジェノサイドを断じて許すな！

岸田政権による大軍拡・辺野古新基地建設・憲法改悪の攻撃をうち砕け！　みずからは独占資本家どもからの「パーティー券」＝献金にまみれながら、大軍拡のために人民から収奪を強化し、能登半島地震の被災者を切り捨てる岸田自民党政権。この極悪非道の政権を、労働者・学生の総力で打倒せよ！

わが革共同革マル派は、〈反帝国主義・反スターリン主義〉の旗高く、すべての労働者階級・学生・人民の最先頭でたたかいぬく。ともにたたかおう！

・凍結されたロシアの資産をウクライナへの支援にふり向けることができるようにすること。
・主権を有する独立したウクライナとその人民にたいしてテロ活動をおこなっている国の代表として、ロシアの政治家、公的機関、労働組合の関係者を、孤立させ国際機関の仕事から排除すること。

ロシア連邦によるウクライナへの全面侵攻（2022年２月24日）の記念日に以下のような活動を実施していただければ幸いです。
・ウクライナを支援する集会：ウクライナで進行中の戦争に注目を集め、人民との連帯を示すために、あなた方の都市でイベントやデモを企画してください。
・教育フォーラムとディスカッション：教育イベント、フォーラム、またはパネルディスカッションを企画してください。ウクライナ情勢と国際連帯の重要性について人々に知らせるために。
・募金活動：戦争の影響を受けたウクライナ難民、避難民家族、労働者を支援するための募金活動。
・メディアおよびソーシャルメディアキャンペーン：メディアプラットフォームを活用して、ウクライナ人民の困難な状況を強調し、平和と正義を求める闘いを支援してください。
　さらに、ＫＶＰＵは、2024年２月22日から24日まで、国際的諸労組および各国ナショナルセンターの仲間をウクライナ訪問に招待します。ＫＶＰＵメンバーとの会合に参加し、戦争が私たちの都市やコミュニティにどのような影響を与えたかを直接見てください。皆様の訪問は、力強い連帯の意思表示となり、平和と尊厳を求めるわれわれの継続的な闘いを大きく強化することになるでしょう。
　この重大な瞬間に団結して、自由のためにたたかいウクライナとヨーロッパの平和を守るウクライナ人民を支援しましょう。
　皆様の連帯行動は、ロシアの侵略にたいする私たちの闘いに目に見える貢献をすることができます。
　連帯の意を込めて、
　ウクライナ自由労働組合連合
　議長ミハイロ・ヴォリネツ

ウクライナ自由労働組合連合（ＫＶＰＵ）

ロシアのウクライナへの全面侵攻記念日に世界的な連帯行動を呼びかける

2024年１月28日

親愛なる兄弟姉妹の皆様

ウクライナ自由労働組合連合（ＫＶＰＵ）は、ウクライナ戦争の悲惨な時期における皆様の連帯と支援に感謝の意を表します。私たちが愛するウクライナにたいするロシアの全面侵攻の厳粛な記念日を迎えるにあたり、私たちは、ＫＶＰＵの仲間が、わが国の自由と平和のために抵抗し闘いつづけていることを改めて表明します。

2014年にロシアが開始し今なお続けている虐殺戦争は、ウクライナ人民に想像を絶する苦しみを与え、ウクライナや世界各国の経済、環境、食糧、社会情勢に悪影響を与えています。ロシア軍は大量虐殺作戦を継続しており、市民、家庭、職場を意図的に標的にし、生態系に取り返しのつかない損害を与えています。ウクライナは、地域の自由と平和、つまり人民の命のために、信じられないほどの代償を払っているのです。

全面戦争以来、ロシアの侵略によって職場で1,300人以上の労働者が被害を受け、そのうち400人以上が殺害されました。

この困難な時期に、私たちは、世界の労働組合組織・労働組合センター、そして世界中の兄弟姉妹に、この悲しい記念日に連帯行動を組織し参加するよう心から呼びかけます。皆様のご支援は、国際的姉妹関係の象徴であるだけでなく、この戦争の恐怖に耐えているすべてのウクライナ人にとって希望と立ち直りの光でもあります。

2024年１月３日の以下のようなＫＶＰＵの訴えを支持していただければ幸いです。

・ウクライナへの経済的、人道的、軍事的援助を提供しつづけること。

・ロシアのテロ政権にたいする制裁を強化すること。これにより、血なまぐさい戦争の継続に必要な資金と技術の輸出を大幅に制限することができます。

うけいれさせることを企図した様ざまな補助金もあります。それらの人々は、大砲の餌食として動員されているのです。プーチンはまた、西側諸国の「民主的」言辞の欺瞞性を利用して、ウクライナでのおのれの犯罪にたいする世論の批判をかわそうとしています。

同時に、「ウクライナ支援」の財政支出を社会的予算の削減と軍事予算の恒常的増加を正当化するものとしておしだす言説が流布されることによって、ウクライナ人民との連帯が掘り崩されつつあります。

正当な平和の希求は、社会的および生態学的危機への緊急の対応の要求をともなうものであり、それは、ウクライナ人の命と権利を犠牲にして実現することはできません。平和の希求は、たえず増大する軍事化と社会的に反動的な経済政策とに各国でも世界中でも反対し、現に政府がおこなっている財政支出についての透明性を求める要求に転化されなければなりません。

ウクライナは、侵略者を撃退するためにＮＡＴＯから供給された武器がなければ勝つことができません。たとえそうだとしても、プーチンにたいするウクライナの最終的勝利が象徴するものは、世界支配のための大国間抗争における西側の勝利などではありません。それはなによりも、ウクライナ人民の不屈の抵抗とその将来を決定する権利の勝利なのです。

したがってそれは、世界中の小さな民族の勝利と民主主義的原則の勝利を象徴するものになるのです。私たちは、２月24日前後の１週間（19日から25日）を、ロシアの侵略に反対しウクライナと連帯する国際的行動の時期とすることを呼びかけます。

ウクライナに平和を。ロシアの戦争を止めろ！　ロシアによる爆撃をただちに止め、ウクライナ全土からすべてのロシア軍を撤退させよ！

ロシアの侵略にたいする正当な抵抗を続けるウクライナ人民に可能な限り広範な支援と連帯を！

ウクライナ連帯ヨーロッパ・ネットワーク（ＥＮＳＵ）

ロシアによるウクライナ侵攻２周年にあたっての声明

2024年２月10日

2024年２月24日は、ロシアによるウクライナへの全面侵攻から２年になります。このまったく不当な侵略によって、すでに少なくとも２万人のウクライナ民間人と10万人以上の兵士の命が失われています。数百万人が国外避難を余儀なくされ、さらに数百万人がウクライナ国内で避難しています。

侵略者は都市全体と生活インフラ（電力網、暖房網、学校、病院、鉄道、港など）を破壊しつづけています。ロシア軍はウクライナ人（兵士と民間人の両方）を大量殺戮してきました。性暴力は侵略者の戦略の一環です。多くの市民（子供を含む）が、ロシアとベラルーシに強制移住させられました。

ロシア大統領ウラジーミル・プーチン、ロシア政府、ロシア連邦の主要政治勢力、宗教指導者、メディアは、ウクライナ人の独立とウクライナが国家でありつづける権利を、そして政治的同盟を自由に選択する権利を否定する帝国主義的政策を推進しています。

ウクライナ人民は、この侵略の受動的な犠牲者になることを拒否し、侵略にたいして武装・非武装を問わずこぞって抵抗しています。草の根の自主的組織（労働組合、フェミニスト組織、市民権団体など）は、国の防衛と、自由で社会的で民主的なウクライナをめざす闘争において重要な役割を果たしています。

しかし、世界の複雑な政治情勢（例えば、米国議会で共和党がウクライナへの資金援助を阻止していること）にかんがみると、ウクライナ人の軍事的・市民的抵抗を支援するための運動が、これまで以上に重要になっています。

ロシア政府は自国の軍需産業の財源を70％増加させました。これに加えて、民間の傭兵部隊、またロシア連邦の最も貧しい人々に戦争を

首都にウクライナ反戦の火柱 2・25

全学連・反戦が全世界人民と連帯し戦闘的デモ

二月二十五日、全学連と反戦青年委員会のたたかう労働者・学生たちは、「〈プーチンの戦争〉粉砕！」を掲げロシア大使館にたいするデモンストレーションに決意も固く決起した。

ロシアのウクライナ侵略の開始（二〇二二年二月二十四日）から二年のこのとき、ヨーロッパをはじめ世界各地で、労働者・人民が陸続とウクライナ侵略反対のデモや集会に起ちあがり、「プーチンの戦争に反対！」「抵抗するウクライナとの連帯を！」の声が轟いた（本誌巻頭カラーグラビア参照）。パリやロンドンの大規模集会の先頭には、ウクライナ人民のレジスタンスを支援してきた労働組合の旗が翻った。侵略開始二年にさいして発せられた、「ウクライナ自由労働組合連合（ＫＶＰＵ）」の呼びかけや、「ウクライナ連帯ヨーロッパ・ネットワーク（ＥＮＳＵ）」の働きかけに応えて、侵略者プーチンを包囲する労働者・人民の闘いのうねりが巻きおこされたのだ。

この全世界人民と連帯して、全学連と反戦青年委員会の労働者・学生たちは、ウクライナ反戦の闘いの火柱を日本の首都中枢に赤々と燃えあがらせたのである。

このときに、日本共産党の志位＝田村指導部はウクライナ反戦の大衆的闘いを完全に放棄しさった。

この既成指導部の腐敗をのりこえるかたちで、全学連と反戦青年委員会は――名古屋・那覇（2・25）、札幌・大阪・福岡（3・3）の各都市で労学統一行動に、さらに札幌での対ロシア総領事館抗議闘争や

労学の白ヘル部隊がロシア大使館に怒りのデモ（2月25日）

金沢での街頭情宣に起ちあがる全国の仲間と連帯して――「〈プーチンの戦争〉粉砕」の、さらには「イスラエルのガザ人民皆殺し戦争反対・ラファ総攻撃阻止」「日本の大軍拡・改憲阻止」「岸田反動政権打倒」の火柱をぶちあげたのである。

〈プーチンの戦争〉粉砕！　白ヘル部隊がロシア大使館に進撃

午後二時三十分、全学連と反戦青年委員会の白ヘル部隊は、芝公園二十三号地からデモンストレーションにうってでた。

「侵略粉砕！」「プーチン倒せ！」闘志にみなぎるデモ隊は、降りしきる冬の雨を吹き飛ばさんばかりのかけ声を轟かせつつ、愛宕下通りを進む。

その先頭には、「〈プーチンの戦争〉を粉砕せよ！　イスラエルのラファ総攻撃を許すな！」と大書された横断幕が高く掲げられ、全学連・反戦・革マル派の深紅の旗がそれにつづく。労働者・学生の

手には、「ロシアのウクライナ軍事侵略弾劾！」「プーチンのFSB強権支配体制を打ち倒せ！」などの色とりどりののぼり旗も掲げられている。

「ロシアのウクライナ侵略を打ち砕くぞ！」「ロシア人民は反戦・反プーチンに決起せよ！」「闘うウクライナ人民と連帯してたたかうぞ！」「イスラエルのラファ総攻撃を許さないぞ！」

労学のデモ隊は、シュプレヒコールをあげつつ一路ロシア大使館めざして進撃する。

神谷町交差点を左折し桜田通りを進むデモ隊。飯倉交差点にさしかかると、右手にプーチン政権の出先機関であるロシア大使館の白いビルが姿を現した。司会の学生が大音声で呼びかける。「すべての諸君！　侵略者プーチンとFSB官僚どもに怒りを叩きつけよ！」「ヨシ！」労学は怒りを炸裂させた。

「〈プーチンの戦争〉粉砕！」「ロシア軍の人民大虐殺弾劾！」「スターリニストの末裔の犯罪を許さないぞ！」「ロシア人民はFSB強権支配を打ち破れ！」「全世界人民と連帯してたたかうぞ！」

労学は眼前のロシア大使館にたいして、あらん限りの力をこめて拳を突きあげ、シュプレヒコールの集中砲火を浴びせかける。

こうして全学連と反戦青年委員会は、闘うウクライナ人民と、そしてロシアで・全世界で起ちあがる労働者・人民と連帯して、芝公園二十三号地までのデモを終始戦闘的に貫徹したのである。

侵略者プーチンを包囲せよ――総決起集会

デモ行進に先だって、全学連と反戦青年委員会は、芝公園二十三号地において総決起集会を開催した。

午後一時、中澤全学連書記長の開会宣言につづいて、有木全学連委員長が基調提起に立った。

彼は冒頭、「〈プーチンの戦争〉粉砕！」の怒りに燃えてロシア大使館に進撃すべきことを高らかに呼びかけた。

「今ヒトラーにしてスターリンの末裔・プーチン政権の蛮行を絶対に打ち砕こう！　『国連憲章を守れの一点での世界の団結』を各国権力者にお願いす

るにすぎない日共の志位＝田村指導部の腐敗をのりこえ、ウクライナ反戦闘争を大爆発させ、この闘いを全世界へと波及させよう！」「ヨシ！」労働者・学生が闘志を燃えたたせ呼応する。

　有木委員長はさらに訴える。「われわれはウクライナ反戦とともに、イスラエル・ネタニヤフ政権がまさに強行せんとしているガザ地区南部ラファへの総攻撃を絶対に阻止しよう。シオニスト権力のガザ人民皆殺し戦争を断じて許すな！」

「岸田政権による改憲・大軍拡・辺野古新基地建設の攻撃を打ち砕こう！　いまこそ労働者・学生の実力で岸田日本型ネオ・ファシズム政権を打倒せ

沖縄の労学が国際通りを戦闘的デモ（２月25日、那覇市）

九州の労学がウクライナ反戦の雄叫び（３月３日、福岡市）

北海道の労学が在札幌ロシア総領事館に断固抗議（３月３日）

よ！」彼の熱烈な基調提起をがっちりとうけとめ、労学は大きな拍手を送る。

次に、反戦青年委員会の代表が発言に立つ。

彼は開口一番、「ウクライナ自由労働組合連合などの呼びかけに応えて、労働組合がヨーロッパ各地で連帯行動に起ちあがっている。ウクライナの、そして欧州のたたかう仲間たちと腕を組んでたたかおう！」「ウクライナの労働者・人民は、困難な現実のなかで、侵略軍に立ち向かい、武装・非武装のレジスタンスを闘いぬいている。彼らは同時に、戦時下においても労働者の団結と権利を守りぬくために果敢にたたかってもいる。ウクライナの闘う兄弟姉妹たちを断じて孤立させるな！」

彼はさらに、たたかう労働者たちがウクライナ反戦の闘いを下から組織することを妨害・抑圧する「連合」芳野指導部、およびウクライナ反戦の大衆的とりくみをいっさい放棄する「全労連」の日共系指導部を怒りをこめて弾劾した。

「大幅一律賃上げをめざして二四春闘を最後までたたかうとともに、ウクライナ反戦・イスラエルのラファ総攻撃反対の闘いを断固として推進しよう！」

彼のパトスみなぎる訴えに、労働者たちがひときわ大きな拍手で応えた。

わが同盟代表が熱烈な連帯挨拶

会場の熱気が高まるなかで、わが同盟の代表が連帯挨拶をおこなった。

彼は冒頭、ＫＶＰＵとＥＮＳＵがウクライナ侵略開始二年にさいして全世界に発した声明を紹介しつつ、「いまこそ全世界人民と連帯しウクライナ反戦闘争の爆発をかちとれ！」と熱烈に訴えた。

「わが日本反スターリン主義革命的左翼は、侵略の開始されたその瞬間からロシアのウクライナ侵略を打ち砕く反戦の闘いを、既成指導部の闘争放棄を弾劾しつつ断固としておしすすめるとともに、ウクライナのたたかう左翼と交流を深め・昨年には膝を交えての討論をもくりひろげてきた。彼らウクライナ左翼とともにわれわれは、〈プーチンの戦争〉を断固粉砕するためにたたかおう！」

さらに彼は、〈プーチンの戦争〉の意味を喝破し怒りをこめて弾劾した。「この侵略戦争こそは、『ソ連社会主義』が『圧制と貧困』の別名となり崩壊したにもかかわらず、このスターリン主義ソ連邦の自己解体をば『地政学的惨事』とほざき、ソ連の版図を復活させるという野望にもとづく世紀の犯罪なのだ。プーチンらＦＳＢ官僚どもは、ソ連の国有財産の簒奪者にほかならないのであって、ウクライナ侵略はこの特権官僚層の利害を守りぬくための侵略戦争いがいのなにものでもない」と。

彼は返す刀でウクライナのレジスタンスに敵対するエセ「左翼」どもの腐敗をつきだし、その根拠が「スターリニズムとの対決の放棄」にあることをえぐり出し弾劾した。労学は、真剣な面持ちで聞き入っている。

そしてわが同盟代表は、満身の力をこめて侵略国ロシアの人民に呼びかけた。「いまこそウクライナ侵略反対、プーチン政権反対の声をあげよ！　人民への弾圧・謀殺をほしいままにし、侵略の銃を握らせ・ウクライナの兄弟たちの殺戮に駆りたてるＦＳＢ官僚・特権支配層への憤激に燃え、ウクライナ侵略反対に起ちあがれ！」「ウクライナ人民とりわけその先端で闘う部分は、ロシア人民をけっして敵視していない。共通の敵たるプーチンとその一味にたいして、ロシア・ウクライナ両国の人民がともに手を取りたたかうことを呼びかけているのだ。いまこそ一九一七年革命を実現した父祖たちの革命的精神を蘇らせたたかおう！」と。

最後に彼は呼びかけた。「〈プーチンの戦争〉を打ち砕くことは、スターリン主義ソ連邦の崩壊を〈歴史の大逆転〉ととらえこれを再逆転せんと生ある限りたたかいぬいた同志黒田に導かれた、わが革命的共産主義運動の責務なのだ。」

「全世界人民は反戦闘争の嵐を巻きおこし、侵略者プーチンを包囲せよ！　この反戦のうねりに呼応して、ロシア人民がウクライナ人民と手を携えて〈反戦・反プーチン〉の巨大な火柱をユーラシアのど真ん中に燃えあがらせたとき、そのときに侵略者どもは奈落に落ち・新たな世界が開かれるのだ。いまこそ〈反帝国主義・反スターリン主義〉の真紅の旗のもとにたたかうわが同盟とともにたたかおう！」

わが同盟代表の熱烈な訴えに鼓舞された労学は、万雷の拍手をもってこれに応えた。

集会の最後に、早稲田大学のたたかう学生が、大学キャンパスからウクライナ反戦闘争のうねりを巻きおこしてきたことを報告し、たたかう決意を表明した。

こうして総決起集会をかちとった労働者・学生たちは勇躍デモ行進にうってでたのである。

ウクライナ反戦闘争の大爆発をかちとれ！

2・25—3・3闘争を力の限りたたかいぬいたすべての労働者・学生諸君。

全学連と反戦青年委員会の労働者・学生たちは、闘うウクライナ人民、そして全世界の労働者・人民と連帯して、「〈プーチンの戦争〉粉砕」の闘いの烽火を燃えあがらせた。「NATOの方が悪い」といまなおほざく自称「左翼」どもの腐敗を弾劾し、日共・志位＝田村指導部の闘争放棄をのりこえるかたちで労学統一行動の高揚をきりひらいた地平にふまえて、ウクライナ反戦闘争のさらなる大爆発をかちとるために決意も固くたたかおうではないか！

まさにいまプーチンの放ったロシア侵略軍は、ウクライナの諸都市にミサイル・ドローンを雨霰とぶちこみ、軍事攻撃を拡大している。プーチン政権は、「ウクライナの非ナチ化・非軍事化」を掲げ現政権の倒壊を狙って猛攻をしかけているのだ。わが労学は、この暴虐が、ウクライナの国と民族を抹消し・ロシアの版図に組みこむことを狙った「スターリニストの末裔」プーチンの世紀の犯罪にほかならないことを唯一、満天下に暴きだしつつたたかいぬいた。

アメリカ帝国主義のバイデン政権がウクライナ支援を縮小させていることにほくそ笑むプーチン。思いあがったこの「皇帝」は、目前の大統領選挙をまえに、多くの人民に支持されて出馬しようとした反プーチンの立候補者を排除したばかりか、プーチン一味の蓄財を暴露してきた野党指導者ナワリヌイをシベリアの刑務所で謀殺するというように、そのFSB強権支配の凶暴性をますますむきだしにしている。

だがロシア人民はいま、こうした悪行を眼前にして、「プーチンの圧制を許すな」「戦争をやめろ」の声を各地で粘り強くあげはじめている。

　このロシア人民にたいして、たたかう労働者・学生たちは、「反戦・反プーチンに起ちあがれ」「FSB強権体制を打ち破れ」と熱烈に呼びかけつつたたかいぬいた。まさにそれは、凶暴な弾圧下で苦闘するロシア人民への熱烈な檄となったのだ。

　たたかう労働者・学生は、ウクライナ侵略二年のこのときに世界各国で決起した労働者・人民とともに・その最先頭で、首都東京をはじめ北海道から沖縄まで日本列島各地で闘いの炎を巻きおこした。わが闘いの一層の前進こそが、闘うウクライナ人民への熱烈な連帯となり、プーチンの侵略を打ち砕く現実的な力となる。この確信に燃えて、わが労学はたたかいぬいたのだ。

　すべての諸君！　全世界人民と連帯して、ウクライナ反戦闘争のさらなる爆発をかちとり侵略者プーチンを包囲せよ！　〈プーチンの戦争〉という世紀の暴虐にいまこそとどめを刺せ！

　同時にわれわれは、ウクライナ反戦とともに、イスラエルのシオニスト権力によるガザ人民皆殺し戦争に反対する闘いをおしすすめよう！　一五〇万人ものガザ人民が避難する南部ラファにたいする総攻撃＝人民大殺戮を断じて許すな！　中洋ムスリム人民にたいして、〈イスラミック・インター‐ナショナリズム〉にもとづき反シオニズム・反米の闘いを推進することを呼びかけつつたたかおう！

　そしてわれわれは、岸田政権が振りおろす改憲・大軍拡・辺野古新基地建設の攻撃を阻止するためにたたかおう！　みずからは政治資金疑獄にまみれた岸田政権が、能登半島地震の被災者を切り捨て、労働者・人民に軍拡大増税を強制することを断じて許すな！　あらゆる闘いを集約し、岸田日本型ネオ・ファシズム政権打倒へ進撃せよ！

　〈プーチンの戦争〉粉砕！

　すべての労働者・学生・人民は革マル派とともにたたかおう！

ロシアのウクライナ侵略２年

ENSUがfacebookに闘う労学の勇姿を掲載

闘うウクライナ人民と連帯して

写真は「ウクライナ連帯行動世界週間」（2024年２月）を呼びかけるＥＮＳＵサイトのイラスト

闘うウクライナ人民と連帯して

その1

〈プーチンの戦争〉とは何か？　それは、一九九一年に自滅的に自己解体したスターリン主義・ソ連邦の版図を回復することをみずからの使命と思いこんだ「ロシア帝国」皇帝プーチンが、ウクライナというひとつの国と土地と民族そのものを丸ごと呑みこむという、まさしくヒトラーのそれに比肩すべき世紀の歴史的大犯罪にほかならない。「一超」帝国主義アメリカの凋落と〈米中角逐〉時代の到来のなかで、旧ソ連邦の国有財産を簒奪しロシアの支配者にのしあがったシロビキどもは、これに乗じて、ロシアFSB強権型国家の支配地域を西方に拡張せんとする野望をむきだしにしたのだ。

　このことを予見していたものは、わが反スターリン主義革命的左翼を除けば、世界のどこにも存在しない。唯一ウクライナの労働者・学生・人民のみが、やがて開始されるであろう〈プーチンの戦争〉にたいする戦いを、早くから決意し準備していた。二〇一四年の「マイダン革命」によって汚職まみれの親ロシア権力者ヤヌコビッチを放逐した直後にロシアがクリミア半島を強奪したにもかかわらず、米欧権力者がこの暴挙を黙認し・のみならずウクライナという国と社会のなかに残存する〝ロシア的なもの〟を理由にそのNATO入りもEU入りも拒否したその時から、彼らは闘いを決意した。「あの暗い陰惨なスターリン時代のロシアには絶対に戻りたくない」との一心で、彼らは、みずからの家族・同胞・土地・国・民族とその将来をロシアの暴虐から守るには自身が団結し戦うしかないと、その決意をうち固めたのだ。

こうして二〇一六年には、「ウクライナ社会運動(ソツィアルニィ・ルフ)」が誕生した。ルフは、左翼的な労働者・学生・インテリなどの諸グループ・諸個人が集まって創られた組織である。彼ら自身の自己紹介によれば、ルフは「様ざまな社会主義的活動家とアンチ・スターリン主義的コミュニスト潮流と政治意識に目覚めつつある青年たちが団結していく試み」である。

彼らは、「民主的な社会主義の実現」をめざして、『ロシア侵略者と対決して独立の権利を求めて戦う」とともに、「ウクライナに社会主義的変革をもたらす」ために闘っている。

またこのルフのメンバーも加わって、『コモンズ』という冊子が編まれている。『コモンズ』は、「より平等で公正な社会への道」を理念に、いわゆる「ウクライナ戦争」を歴史学者や社会学者がマルクス主義の観点から分析・批判した論文などを掲載している。この冊子は欧州の各国で販売されている。

さらに「ウクライナ連帯ヨーロッパ・ネットワーク」(ENSU)という組織がある。この組織は、ドイツ・フランス・スイスなどの国々でウクライナへの支援を訴える活動をおこなっている。

このようにウクライナの左翼的な人々はこんにち、様ざまな闘いを立体的・有機的に組織しくりひろげている。この闘いは長年にわたって準備されたものであって、おびただしい数の労働者・学生・人民が参加しているウクライナのレジスタンスは、ロシアが侵略を開始した二〇二二年二月に突如として始まったわけではないのである。

わが同盟は、ロシアのウクライナ軍事侵略の直後から、こうしたウクライナの闘う人々との交流を様ざまなかたちでおこなってきた。

われわれの声明や論文や闘いの報告記事などを外国語に翻訳して送ったり、手紙やSNSをつうじて意見交換したりしてきた。そして昨二〇二三年には国際部および全学連OBの若い仲間を中心にヨーロッパの諸都市において、彼らと膝を交えて討論してきたのである。

また、ロシアの侵略開始から一年後の昨二〇二三年二月には、ENSUが「世界各地で連帯し抗議行動に起つ」ことを呼びかけたのであるが、わが同盟もこの呼びかけ団体に加わった。

この呼びかけには世界二十ヵ国・四十六団体（さらに多くの個人）が呼応し、世界各地でいっせいに「ロシアのウクライナ侵略反対」の声をあげて起ちあがったのである。（四六〜四七頁の表参照）

欧米権力者によるウクライナ支援の打ち切りや縮小によって、今ウクライナの人民は大きな困難に直面している。だが、彼らは決して挫けてはいない。彼らは言っている——「われわれは危機的状況のなかでもいかに行動すべきかを知っている」と。

われわれは今こそ全世界の先頭に立って、ロシアのウクライナ侵略に反対する闘いの炎をさらに赤々と燃やさなければならない。そして同時に、〈プーチンの戦争〉の全世界労働者階級にとっての階級的歴史的意味を暴きだすイデオロギー闘争を一段と強化し、ウクライナおよびロシアの労働者・人民と連帯して「プーチン政権打倒」をめざしてたたかうのでなければならない。

そのために今回はまずもって、「ネタニヤフ政権のガザ人民大虐殺」にたいして、ウクライナの人々が今どのような闘いをくりひろげているのかを紹介しておこう。

〔国際部〕

パレスチナ人民と連帯するウクライナからの手紙

ウクライナ－パレスチナ連帯グループ
『コモンズ』誌 二〇二三年十一月二日掲載

分断を拒絶し、解放を求めて闘う人々との連帯を訴える

ウクライナ人の研究者ならびに芸術家、政治活動家、労働運動活動家など、われわれ市民社会の構成員は、イスラエルによる七十五年にわたる軍事占領と分断、入植者の暴力、民族浄化、土地収奪、アパルトヘイトにさらされ、それに抵抗してきたパレスチナの人々と連帯する。われわれは、人民から人民への手紙としてこれを書く。現在のおもだった主張においては、政府レベルのそれも、またウクライナやパレスチナの人民の闘いを支援しようと結束している諸グループのあいだのそれでさえも、しばしば分断がうみだされている。この手紙をつうじてわれ

われは、そうした分断を拒絶し、抑圧されながらも解放を求めて闘っているすべての人々との連帯を訴える。

　自由と人権と民主主義と社会的正義のために奮闘する活動家であるわれわれは、力量のちがいは明らかだとしても、市民にたいする攻撃を断固として非難する。ハマスによるイスラエル人への攻撃であれ、イスラエル占領軍や入植者の武装ギャングによるパレスチナ人への攻撃であれ、そうである。市民を意図的に標的にすることは、戦争犯罪である。ましてや、ガザの全住民をハマスと同一視し、パレスチナ人民を集団的に処罰するなどということは、まったく正当化されえないし、パレスチナのレジスタンスを丸ごと「テロリズム」と烙印することもまた許されない。現下の占領を継続することも、正当化されえない。幾度もなされた国連決議をくりかえして言えば、パレスチナ人民にとっての正義がなければ、永続的平和はありえないのだ。

　十月七日にわれわれは、イスラエルの市民にたいするハマスの暴力を目の当たりにした。この出来事は今、多くの者たちによって、パレスチナのレジスタンスをひと括りにし悪魔的で非人間的なものとして描きあげるために取りあげられている。ハマスは、反動的なイスラム主義組織といわれているが、もっと大きな歴史的脈絡、そしてイスラエルが何十年にもわたってパレスチナ人の土地を侵略してきたこととの関係において、理解されなければならない。それは、この組織が一九八〇年代後半に出現するよりはるかに以前からのことなのだ。一九四八年の「ナクバ(大厄災)」で、七〇万人以上のパレスチナ人が、村人すべてが虐殺されたり、村や家々を破壊されたりして、住みなれた土地から暴力的に追い出された。イスラエルは、その建国以来、植民地主義的拡張の追求をやめることはなかった。パレスチナ人は追放され、散り散りになり、様ざまな権力の統治下におかれた。イスラエル市民となった人々は、構造的な差別と人種的迫害に苦しめられている。ヨルダン川西岸の占領地に暮らす人々は、何十年にもおよぶイスラエル軍によるアパルトヘイトに組み敷かれてきた。ガザ地区の人々は、二〇〇六年以降のイスラエ

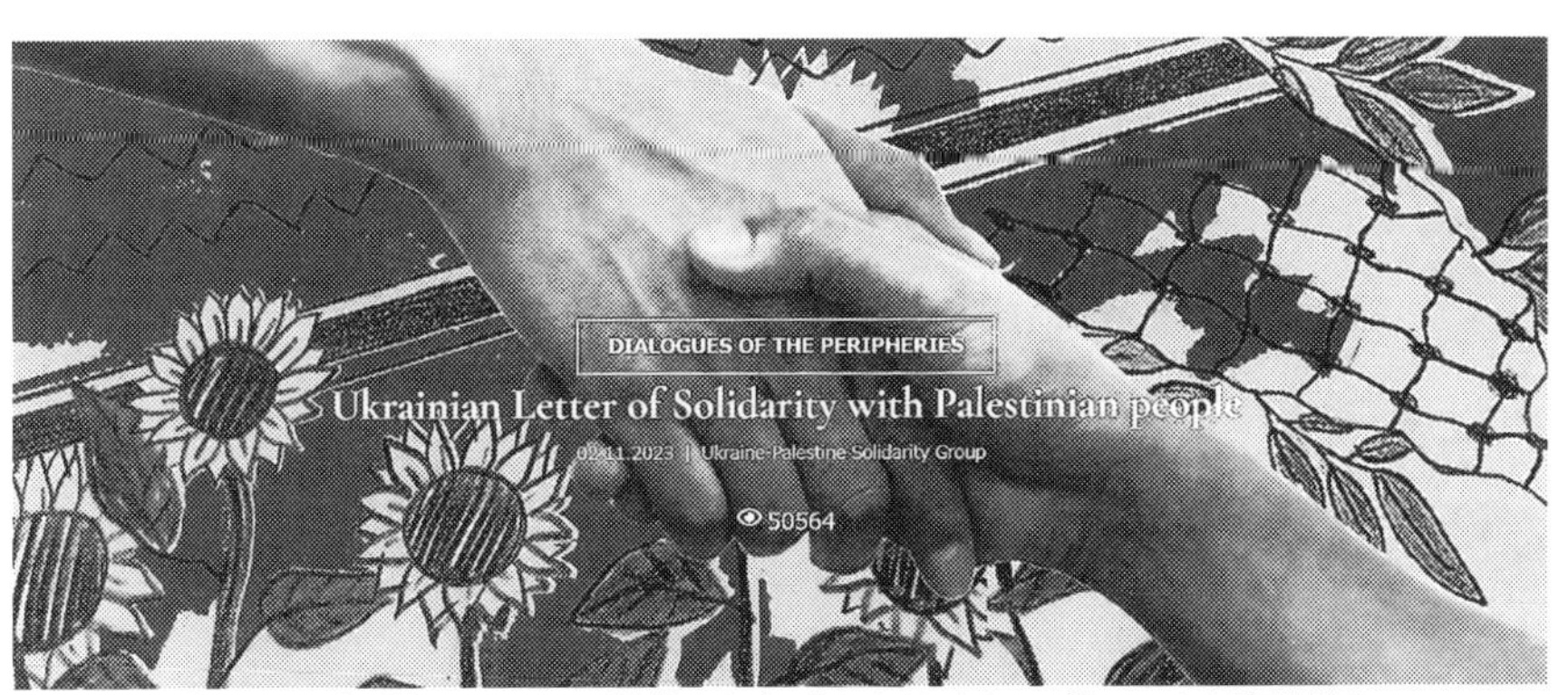

『コモンズ』誌のサイトに掲載された「ウクライナ－パレスチナ連帯グループ」の「パレスチナ人民と連帯するウクライナからの手紙」のコラージュ（2023年11月２日）

ルによる封鎖で人と物資の移動が制限され、深まる貧困と欠乏にあえいでいる。

十月七日から、今この手紙を書いている時点まで、ガザ地区の死者は八五〇〇人を超えている。そのうち六二％以上が女性と子供だ。負傷者は二万一〇四八人を超えた。つい先日には、イスラエルは、学校や住宅地、ギリシャ正教の教会、また病院を爆撃した。イスラエルはまた、ガザ地区の水、電気、燃料の供給をすべて遮断した。食糧と医薬品の不足が深刻化し、医療体制は完全に壊滅させられた。

西側とイスラエルのメディアのほとんどは、これらの死を、ハマスとの戦闘にまきこまれたにすぎないものとして正当化している。だが、ヨルダン川西岸占領地で狙い撃ちにされて殺されたパレスチナ市民のこととなると、彼らは沈黙する。西岸では、二〇二三年はじめから十月七日までだけでも、パレスチナ側の死者は二二七人に達していた。十月七日以降にも、西岸占領地では、一二一人のパレスチナ人が殺されている。一万人以上のパレスチナ人の政治囚が、今もイスラエルの刑務所に拘束されているのだ。永続的平和と正義は、現下の占領を終わらせることによってのみ可能になる。パレスチナの人々は、自決権とイスラエルの占領に抵抗する権利を有する。それは、ウクライナ人が、ロシアの侵略に抵抗する権利を有するのと、まったく同じだ。

われわれの連帯は怒りと深い痛みから

われわれの連帯は、不正義にたいするわれわれの怒りとわれわれ自身の深い痛みのこの場から発している。国土が占領され、生活インフラが爆撃され、人道支援が遮断されれば破滅的な影響をこうむることを、われわれはみずからの体験をとおして知っているのだ。ウクライナの一部の地域は、二〇一四年いらい占領されてきた。国際社会は、当時、ロシアの侵略を止めもせず、この軍事侵略の蛮行の帝国的で植民地的な本性を無視してきた。そして、ロシアによる侵略が、二〇二二年二月二十四日に激烈化したのだ。ウクライナの市民は、自宅で、病院で、バスの停留所で、パンを求める行列でも、日々爆撃にさらされている。ロシアによる占領の結果、何千何万もの人々が水や電気や暖房を得られないまま暮らしている。重要インフラの破壊によっていちばん影響をこうむるのは、最も弱い層の人々だ。マリウポリが包囲され重爆撃された数ヵ月間、そこには人道回廊はなかった。イスラエルがガザの生活インフラを狙い撃ちにしたり、人道支援を妨害したり土地を占領したりするのを見ると、われわれは、とくに痛ましい思いがこみあげる。この体験的痛みと連帯の場から、われわれは、世界のウクライナ人同胞に、そしてすべての人々に呼びかける。パレスチナ人民を支援する声をあげ、進行中のイスラエルによる大規模な民族浄化を弾劾しよう。

われわれは、イスラエルの軍事行動への無条件支持を表明するウクライナ政府の声明に反対する。ウクライナ外務省が発した市民の犠牲を避けよという呼びかけもまた、遅きに失し不十分だと考える。こうした政府の立場は、国連での投票を含め、ウクライナが数十年にわたってパレスチナ人の権利を支持しイスラエルの占領を非難してきたことからの後退である。ウクライナの今回の決定の背後には、われわれが生き延びるために依存している西側同盟諸国に同調するというプラグマティックな地政学的判断があることを、われわれは知ってはいるが、現在のイスラエル支持とパレスチナ人の自決権の否認は、

ウクライナ侵略２年　ベルギー・ブリュッセル（２月25日）

ウクライナ自身の人権の尊重と土地と自由のための闘いに矛盾するものであると、われわれは考える。ウクライナ人として、われわれは、抑圧者とではなく、抑圧をこうむりそれと闘っている人々と連帯して起ちあがらなければならない。

　われわれは、一部の政治家が、ウクライナにたいする西側の軍事援助とイスラエルにたいするそれとを同列にあつかうことに断固反対する。ウクライナは、他民族の領土を占領してはいない。それどころか、ロシアによる占領と戦っているのだ。ウクライナへの国際的援助は、したがって、大義にかない、国際法の擁護に役立っている。イスラエルはパレスチナとシリアの領土を占領し併合してきたのであって、これを西側が援助することは、不公正な秩序を肯定し、国際法との関係では明らかにダブル・スタンダードだ。

　われわれは、アメリカのイリノイ州でパレスチナ系アメリカ人の六歳の子が惨殺され、その家族が襲撃されたことにしめされるような、イスラム排撃の新たな動きに反対する。イスラエルにたいするいかなる批判をも反ユダヤ主義と決めつけることに反対する。同時にわれわれは、イスラエル国家の政策についての責任を世界中のユダヤ人に負わせることにも反対する。ロシアのダゲスタンで群集が航空機を襲撃したような反ユダヤ主義の暴力を弾劾する。われわれはまた、戦争犯罪と国際法の侵害を正当化す

るために米欧諸国が用いてきた「テロとの戦い」というレトリックの復活に反対する。このレトリックは、国際的な安全保障体制をほりくずし、数知れぬ死をもたらしてきた。それは、他の国によっても、たとえばロシアによってチェチェンでの戦争のために、また中国によってウイグル人のジェノサイドのために、用いられてきた。今、それを、民族浄化のために使っているのが、イスラエルだ。

行動の呼びかけ

・われわれは、国連総会決議によって呼びかけられた停戦の実施を強く求める。

・われわれは、イスラエル政府に、市民への攻撃を直ちにやめ、人道支援物資を供給するように求める。ガザにたいする包囲を即時・無期限に解除し、生活インフラを復旧する事業が即時に実施されるように訴える。われわれは、また、イスラエル政府が占領をやめ、パレスチナ人難民がみずからの土地に帰還する権利を認めることを要求する。

・われわれは、ウクライナ政府にたいして、イスラエルによる国家的テロ行為とガザ市民への人道支援の妨害を糾弾し、パレスチナ人の自決の権利を再確認するように求める。そしてまた、ヨルダン川西岸占領地でのパレスチナ人にたいする意図的襲撃を糾弾するように求める。

・われわれは、国際メディアにたいして、パレスチナ人とウクライナ人とを相対立させることをやめるように訴える。人々の苦難に序列をつけることは、人種差別的言動を助長するだけでなく、攻撃にさらされている人々を人間として扱わないに等しいのだ。

われわれは、世界がウクライナ人民と連帯して団結するのを目撃してきた。パレスチナの人民のためにも同じように連帯し団結することを、われわれはすべての人々に訴える。

署名四四六名（二〇二四年一月五日現在）

なぜウクライナ人はパレスチナ人を支援すべきなのか

ダリア・サブロワ

『コモンズ』誌 二〇二三年十月二十七日掲載

イスラエルによるパレスチナ襲撃は、ロシアによるウクライナ侵略との類似性を、日を追うごとに露わにしている。イスラエルはガザ地区を「完全包囲」し、二〇〇万人以上の住民にたいする水、電気、食料の供給を完全に遮断した。ロシアが昨年冬に私たちのエネルギーインフラを意図的に破壊したのと同じことが、ここでもくりかえされているのだ。わけてもこの蛮行ゆえに、ロシアはウクライナ人民のあいだで「テロ国家」と呼ばれることになったのだ。

ガザ北部の住民一一〇万人にたいする避難命令が発表されたその瞬間に、ウクライナ人民ならば分かったにちがいない。高齢者や病人という弱い立場にある人々が確実に死に追いやられる、と。逃げる手立てがない以上、人々はそこに留まりつづけるということを、私たちは知っているのだ。

破壊しつくされたガザの映像は、私たちに届いたものをみるだけでも、イスラエル軍が国際人道法を無視していることを鮮明に写しだしている。昨年に私たちが眼にしたマリウポリやバフムトとそっくりだ。住宅地や〝避難回廊〟そして都市からの唯一の出口であるラファを、ロシアがウクライナを攻撃したのと同じように、イスラエルが爆撃していることに非難の声があがっている。

たしかに、イスラエル・キブツの住民にたいするハマスの残忍な攻撃も、ロシアによるブチャ住民の虐殺(二〇二二年三月)と似ているかにみえる。ウクライナの大統領ヴォロディミル・ゼレンスキーとウクライナ外務省であれば、これを非難もするだろう。だが、ウクライナ政府によるメッセージは、イスラエルの犠牲者とその家族をいたわるだけでなく、問題のある主張を含んでいた。ゼレンスキー大統領は、〝イスラエルには自国を守る無条件の権利がある〟という、実に破滅的な結論を導きだしているのだ。

それ以来、ウクライナ政府の高官たちは、イスラエルの「鉄の剣作戦」について直接に言及することを避けてきている。ガザ地区の死者数が、攻撃の開始から十一日のあいだに三五〇〇人を超えている(パレスチナ当局による発表)にもかかわらず。

だが、イスラエルによるあらゆる対応にたいして、ウクライナがたとえ白紙委任を与えたとしても、それはほとんど意味がない。歴史的なあるいは最近の両国の関係をふりかえるならば、ウクライナとイスラエルのあいだでは占領と国際法遵守の問題を焦点にして緊張状態が続いてきているのだ。ウクライナが直面している安全保障問題についていうならば、領土保全の遵守と核軍縮という二つの大義を推進するというその外交政策は一貫している。

外交上の緊迫状態

アメリカやその同盟の欧州諸国とはことなり、ウクライナはパレスチナの土地の不法占拠を非難する国連決議に首尾一貫して支持を表明してきた。それはロシアの占領下にあるクリミアが、つねに変わらずにウクライナの国土であるという強い思いがなければなしえないことである。

二〇一四年、ロシアによるクリミア併合を非難しウクライナの領土保全を再確認する国連決議に、イスラエルは投票しなかった。その二年後、ウクライナはイスラエルによるエルサレム入植を非難する決議案を可決した。これを理由にして、イスラエルのベンヤミン・ネタニヤフ首相は、当時のウクライナ首相であったヴォロディミル・グロイスマンによるウクライナ代表のイスラエル訪問を拒否したのだった。

両国間の緊張は、ウクライナが昨二〇二二年に二つの国連決議を支持したこともあり、この一年で高まってきている。決議のひとつは中東の核軍縮に関連して、イスラエルの核開発計画を非難するものである。二つめは、イスラエルによる「パレスチナ領土の長期占領・入植・併合」にたいする国際調査の開始にかんする決議であり、これによりパレスチナ人の自決権が再確認されたのだった。

そして二〇二三年六月には、イスラエルのマイケル・ブロツキー駐ウクライナ大使が、「国連の〝反イスラエル〟的決議のうちの九〇％をウクライナが支持している」と非難した。いわく、「ウクライナが頻繁にイスラエルにたいして様ざまな要求をしていることを考えると、これは異常な状況だ」、と。この「様ざまな要求」は、両国間の緊張を高める主要な問題にもなってきている。イスラエルはウクライナに人道支援物資を送ってはきたが、武器を送ることは――防衛的武器も含めて――拒否している。「イスラエルはＮＡＴＯ加盟国とは異なり、自国で自国を守るしかない」と称して。

イスラエルは、ウクライナを侵略しているロシアにたいして、慎重な態度をとってもいる。シリアにおける自国の軍事的利害を考慮して、ロシアとの友好的な外交関係を維持しようとしているからだ。イスラエルは多くの西側諸国による対ロシア制裁に加わりもせず、またウクライナ破壊の賠償責任をロシアに求める国連決議の採択投票も棄権した。本格的な侵略が開始されて以降、イスラエルは三万人のウクライナ人――本国帰還プログラムの一環である一万五〇〇〇人のウクライナ系ユダヤ人をも含めて

——を受け入れてはいる。それは、他国が受け入れている数に比すれば、はるかに少ないのだ。

沈黙についての弁明

ウクライナの政治家や外交官の多くは、イスラエルとパレスチナのあいだの歴史が複雑すぎて侵略者と被害者とを区別できないと考えているらしい。しかしそれは、彼らがこの数日間になされたイスラエルによる国際法の侵害にたいして沈黙を決めこむことの弁明にはまったくならない。イスラエルによるこの侵害行為は、ウクライナ政府が以前には弾劾していたことと、なんら違いはないのだ。彼らの沈黙には、おそらく三つの原因があるだろう。

まずもって、ウクライナ政府が、ネタニヤフにより「新たなナチス」と烙印されたハマスから——イスラエルの一般市民を恣意的に標的にしたその冷酷な手法もあり——、可能なかぎり明確に距離をおこうとしてきていることである。これは特に、ウクライナ侵略を正当化するロシアの詭弁——ウクライナを「非ナチス化」する必要性なるもの——が、グローバル・サウスや西側市民社会の一定部分において効果を発揮しているがゆえである。しかし、西側諸国政府による支配的な言説では、ハマスの行動と、自由と正義を求めるパレスチナ人の多様な諸勢力により広範に推進されている闘いとは、完全にいっしょくたにされている。皮肉なことに、外交官らは、パレスチナ支援の欠如がほぼ確実にグローバル・サウスにおけるウクライナ支持の低下をもたらすだろうと警告している。

西側の通説は、しばしば反ユダヤ主義とイスラエル批判とを混同しているようにみえる。ウクライナ政府が国際場裡における公式声明に特に慎重であるもう一つの理由はここにある。ウクライナがホロコーストの影響を最も受けた国のひとつ——一九四一年から一九四五年のあいだに一五〇万人近くのユダヤ人が殺害された国——であることからして、ある程度は慎重にもなるだろう。だが、そればかりではない。これらの虐殺に直接に関与した人々がウクライナ民族主義運動によりかくまわれ、かつこのウクライナ民族主義運動がウクライナ国内においては問題とされずにむしろ英雄化されてきたがゆえでもあるのだ。

そして最後に、このようなウクライナの立場は、ただ地政学的プラグマチズムのゆえであるかもしれない。ウクライナの欧州連合との連携協定の条項には、「外交政策と安全保障問題における一致」が規定されており、ウクライナは欧州当局が表明する立場と歩調を合わせることが求められている。西側の人道援助、特に軍事援助に依存しているがゆえに、ウクライナの指導者たちは支援が打ち切られることをおそれて同盟国に、わけてもアメリカに、従う傾向にある。ハマスがロシアとの特別なつながりを維持していることは、このようなウクライナ政府の西側諸国にたいする忠誠心を強固にするだけである。

ウクライナ外務省による最近の声明（二〇二三年十月十七日発表）には、ウクライナ外交政策の曖昧さ、ならびにその相反する原則とが反映されている。そこでは、イスラエルによる「テロ行為にたいする反撃」への支持を再確認しているが、同時に、「政治的・外交的手段によるパレスチナ─イスラエル紛争の解決」も主張している。

声明発表の翌日、数百人のパレスチナ人が殺害されたアル・アハリ病院にたいする攻撃──イスラエルとハマスの双方が責任を否定しているそれ──の後に、ウクライナの政府高官は、初めてガザの人道状況にかんする声明を発表した。声明は、両者ともに「戦争のルールを遵守し、国際人道法の規範を尊重する」べきだと強調しているが、即時停戦を求めてはいない。

いま声をあげなければ

ウクライナ当局の公式見解は現実的な外交上の判断により左右されるが、ウクライナの市民社会は、イスラエルによるガザへの懲罰的作戦にたいして沈黙を決めこむ政府に同調する義務はない。

パレスチナにおけるイスラエルの蛮行は、ウクライナにおけるロシアの蛮行と同様に、戦争法を遵守していないなどという問題をはるかに超えている。ウクライナ人民にたいするロシアの戦争は、二〇二二年二月二十四日に始まったのではないと、ウクライナ人はくりかえし明確に述べている。ロシアは、二〇一四年のクリミア併合以来、ウクライナの一部分を占領しつづけているのであり、さらにロシア帝国によるウクライナの地に住む人々の植民地支配は、十七世紀にまでさかのぼるのだ。

ウクライナ侵略２年 イタリア・ミラノ（２月24日）

　ソ連時代にも続いていたこの占領の歴史において、人民の大量虐殺というべき数々の事件が引き起こされている。数百万人のウクライナ人を殺戮した一九三二年と一九三三年の人為的大飢饉であるホロドモールや、一九四四年にスターリンの命令により二三万八〇〇〇人のクリミア・タタール人がクリミアから他のソビエト共和国に強制移住させられたという大規模な民衆の連れ去りなどが、それである。その後の何年かのあいだに、タタール人のほぼ半数が飢餓や病気で死亡したのだった。

　同様に、パレスチナ人にたいするイスラエルの戦争は二〇二三年の十月七日に始まったわけではない。七〇万人以上のパレスチナ人が彼らの土地から引きはがされた一九四八年のナクバから始まったのだ。一九六七年の六日間戦争の終わりに、イスラエルは残りのパレスチナの領土を占領した。パレスチナ人は新たに集団的大移住を強制され、イスラエルは新しい植民地を設けたのだった。

　パレスチナ人は、土地の収奪や植民地支配という犯罪がこれまで決して途切れたことがないのだからしてナクバは永遠のプロセスであると口々にいう。彼らは分断されており、住んでいる地域の違い——ヨルダン川西岸あるいはイスラエルなのかガザ地区なのか——によっても、難民となっているのかによっても、経験していることは違う。だが、彼らはいずれもがアパルトヘイトの体制のもとにおかれているのだ。わけてもガザのパレスチナ人は、二〇〇六年以来、イスラエルがエジプトと結託して押しつけてきた封鎖に苦しめられている。ガザ地区はまさに世界最大の〝天井のない監獄〟と化しているのだ。

ここ最近に引き起こされた、イスラエルとパレスチナ双方の市民の殺害という〝悪〟は、イスラエルがパレスチナの地を長きにわたり占領し植民地化してきていることに根ざしている。この意味において、ウクライナの人々にたいする抑圧とパレスチナの人々にたいするそれとには、類似性がある。ウクライナもパレスチナも、自分たちの国土を核兵器を保有し圧倒的な軍事力をもった国家により占領されているのだ。この国家は、国連決議と国際法を嘲笑し、あらゆる外交的対話よりも、おのれの〝大義〟を最優先させるのだ。

＊

ウクライナ人として、ウクライナの大義を支持する者として、私たちには、いま現に引き起こされていることを直視し理解しそして声をあげる特別な責任があるのです。私たちは西側諸国政府の矛盾を――私たちの反帝国主義闘争を支援しながらイスラエルの植民地的暴力を援護するというそれを――指摘しなければなりません。現にいま悲劇に直面している私たちの感性は、同じように悲劇のただなかにあり・同じ体験をしている人々にたいして、とぎ澄まされるに違いないのです。

ロシアによる侵略いこう、私たちは、国際社会がウクライナの歴史についてほとんど知らないでいることに気づかされました。しかし、パレスチナの歴史について、私たちは何を知っているというのでしょうか。ますます二極化が進み、驚異的な規模の植民地戦争と暴力が再び起こっている世界において、抑圧された人々のあいだの連帯と私たちのそれぞれの闘いを知ろうという強い意志だけが、地政学的な分断を超えて、公正で永続的な平和への道をさし示すことができるのです。

スペイン
Socialismo y Libertad (SOL)（社会主義と自由）
Trasversales（『横断』）
Colectivo Léodile Béra（レオディール・ベラ・コレクティブ）
Internationalist Struggle（国際主義者の闘争）
イギリス
Ecosocialist.Scot（エコ社会主義　スコットランド）
Ukraine Solidarity Campaign (Scotland)（ウクライナ連帯キャンペーン〔スコットランド〕）
Ukraine Solidarity Campaign (England)（ウクライナ連帯キャンペーン〔イングランド〕）
Another Europe is Possible（もうひとつのヨーロッパは可能だ）
Anti*Capitalist Resistance (England & Wales)
（反資本主義レジスタンス〔イングランド・ウエールズ〕）
ギリシャ
eLaLiberta.gr（『自由』）
TPT - “4” [Greek section of the Fourth International]（第四インターナショナル綱領派）〔第四インターナショナル・ギリシャ支部〕
アイルランド
Irish Left with Ukraine（ウクライナと共にあるアイルランド左翼）
Free Russians Ireland（アイルランドの自由ロシア人）
イタリア
Utopia Rossa Massari Editore（赤いユートピア　マッサリ編集部）
日本
Japan Revolutionary Communist League - Revolutionary Marxist Faction (JRCL-RMF)（日本革命的共産主義者同盟-革命的マルクス主義派）
オランダ
SAP/*Grenzeloos*（社会主義的オルタナティブ政治／『グレンツェロース』）
ニュージーランド
Auckland Peace Action（オークランド・ピース・アクション）
Fightback Aotearoa（反撃アオテアロア）
スウェーデン
Ukraina-Solidaritet Sweden（スウェーデン・ウクライナ連帯）
Left Party - Skurup branch（左翼党スクルプ支部）
トルコ
Workers’ Democracy Party（労働者民主主義党）
アメリカ
League for the Revolutionary Party（革命党のための同盟）
Ukraine Socialist Solidarity Campaign
（ウクライナ連帯社会主義者キャンペーン）

ウクライナ連帯行動世界週間 呼びかけ団体

（2023年 2 月）

全欧規模
ENSU-RESU（ウクライナ連帯ヨーロッパ・ネットワーク）
International Workers' Unity - Fourth International
（国際労働者の団結－第四インターナショナル）
ウクライナ
Спільне (*Commons*)（『コモンズ』）
アルゼンチン
Colectivo Léodile Béra（レオディール・ベラ・コレクティブ）
オーストリア
emanzipation - Zeitschrift für ökosozialistische Strategie
（『解放－エコ社会主義戦略ジャーナル』）
ベルギー
ENSO-RESU（ウクライナ連帯ヨーロッパ・ネットワーク）
Fondation Léon Lesoil asbl（レオン・レソイル財団）
Koerdisch Instituut Brussel（クルド研究所　ブリュッセル）
SAP-Antikapitalisten / Gauche anticapitaliste
（反資本主義プロジェクトのための運動／反資本主義左翼）
Vermeylenfonds vzw（フェルメイレン財団）
Vlaams-Socialistische Beweging (V-SB)（フランドル社会主義運動）
ブラジル
MES/PSOL（社会主義運動／社会主義と自由の党）
Movimento Negro de Catanduva SP（カタンドゥバ黒人運動）
スイス
Bewegung für den Sozialismus（社会主義運動）
emanzipation - Zeitschrift für ökosozialistische Strategie
（『解放－エコ社会主義戦略ジャーナル』）
ドイツ
emanzipation - Zeitschrift für ökosozialistische Strategie
（『解放－エコ社会主義戦略ジャーナル』）
For the right to resist - Linke Ukraine-Solidarität Berlin
（抵抗する権利のために－左翼ウクライナ連帯ベルリン）
デンマーク
Red Green Alliance（赤緑連合）
フランス
Etm46（第三世界の学校46）
Emancipation Lyon 69（解放－リヨン69）
L'insurgé（反乱）
Nouvelle parti anticapitaliste - NPA（反資本主義新党）
Pour l'Ukraine, pour leur liberté et la notre!（ウクライナのために、彼らの自由のために、そして私たちのために！）

闘うウクライナ人民と連帯して その2

「闘うウクライナ人民と連帯して」の＜その2＞として、オクサナ・ドゥチャクさんの「ウクライナ・レジスタンスに敵対する左翼のデタラメな10の主張」を紹介する。この論文は、二〇二三年発行の『コモンズ』誌第十三号に掲載されたものである（論文の執筆は、二〇二二年七月二十日）。

オクサナさんはキーウ在住のウクライナ人の社会学者であり、ウクライナの現状や女性の労働などについて欧州各地でも講演をおこなっている。この論文では、ウクライナ人民のレジスタンスに悪罵を投げつける欧州の自称「左翼」どもにたいして、マルクス主義者としての怒りに満ちた反論を展開している。

ここでとりあげられている「10の主張」は、いずれも、欧州の腐敗しきった「左翼」どもが実際に言表している言葉である。これにたいしてオクサナさんは、「ストレートには表現されない」が「そこに隠された本音をも掘り起こす」かたちで（各項目の中のゴチックの部分）、つまり内在的＝下向的に分析しつつ、その反動的本質をえぐりだしている。まさに弁証法的方法をとっているのである。

オクサナさんは、ウクライナのレジスタンスを嘲笑する自称「左翼」どもが、恥知らずにも、唯物論的現実とはまったく無縁な地平で「西欧中心のインチキ国際主義」を振りまいていること、そうすることによって逆に「国際主義」「連帯」「反帝国主義」などの重要なことがらを白昼堂々と投げ捨ててしまっていることを、完膚なきまでに暴きだしている。

このオクサナ論文で紹介され批判されている西欧のインチキ「左翼」どもの主張をみるとき、われわれは、彼らの思考が、観念論、客観主義、公式主義、人間不在の哲学、実体論の欠如などなど、まさにスターリン主義哲学そのもの・より正確に言えばそれのさらに俗人化したものにすぎないことを、容易に見てとることができる。わが反スターリン主義運動の創始者・黒田寛一同志がすでに七十年ほども前に批判し尽くしたスターリン主義哲学の後塵を今なお拝しているのが、バカ「左翼」どもなのだ。

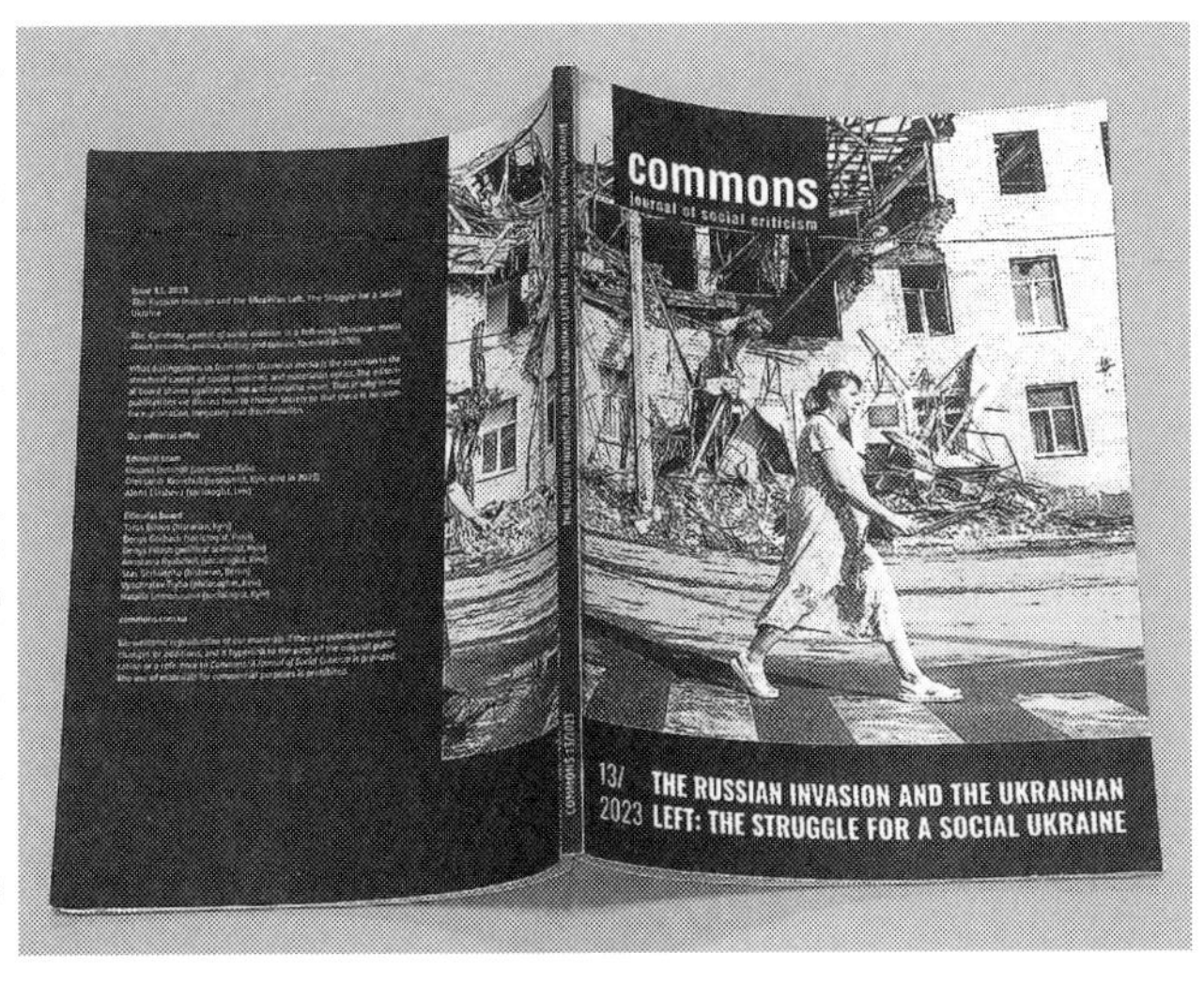

オクサナ・ドゥチャクさんの「ウクライナ・レジスタンスに敵対する左翼のデタラメな10の主張」を掲載している『コモンズ』誌２０２３年第13号。冊子の特集タイトルは「ロシアの侵略とウクライナ左翼：社会的ウクライナのための闘争」。ロシアの侵略以降は電子版の発行しかできなかったが13号は90頁の冊子を復活させている

そして、これとは対照的に、オクサナ・ドゥチャクさん、のみならず『コモンズ』誌に論文を寄せている「ソツィアルニィ・ルフ」(本誌本号〈その1〉参照)をはじめとする執筆者の方々は、スターリン主義者のドグマティックで客観主義まるだしの冷たい思考とはまったく異なる。

(上)ポーランド・クラクフで集会に決起した労働者・人民(2月24日)。(左)チェコ・プラハでデモをくりひろげる労働者・人民(2月24日)

それは、彼らが、ソ連邦および東欧「社会主義国」におけるスターリン主義党官僚支配下の永きにわたる過酷きわまりない圧政と、その崩壊後に新たに経験した資本主義的悲惨との、ふたつのどん底のなかで、マルクスのマルクス主義を拠り所にして生き抜きつつ「戦争も抑圧も搾取も差別もない」社会を切りひらかんとしているからにちがいない。

マルクスの思想は全世界のプロレタリアートの思想として必ず蘇る。いや、われわれが蘇らせる。見よ、暗黒の世界がかすかに白みはじめているのを。

マルクスの唯物史観をバックボーンとするわれわれは、今こそ〈反帝国主義・反スターリニズム〉の旗幟を鮮明にして、より逞しく前進するのでなければならない。闘うウクライナの人民と連帯して。そしてロシアの・全世界の労働者階級人民と連帯して！

〔国際部〕

ウクライナ・レジスタンスに敵対する左翼のデタラメな10の主張

オクサナ・ドゥチャク

『コモンズ』誌　二〇二三年第十三号に掲載

西側の左翼たちと討議することは恐ろしく困難である。聞くに堪えない主張をする者もいれば、欺瞞的であったり皮肉に満ちた意見を述べる者もいる。私に言わせれば、左翼の原則とはおよそかけ離れた持論をふりまわす者もいる。このような彼らの意見は、ストレートには表現されないのが常である。だから私は、これら「左翼」の主張の底に隠された彼らの本音をも掘り起こすことにした。

次のことはあらかじめお断りしておきたい。

（1）ウクライナのレジスタンスと連帯する左翼の人々、上記のような者たちとはいっさい関係のない左翼の人々は、もちろんたくさんいる。だが、彼らについてはここではふれない。

（2）いわゆる「左翼」たちが自分たちの言いたいことをどのように言表しているのか――これが問

題なのだ。ウクライナのレジスタンスについて真剣に向き合い論議をしようとする者と、そうではなくて、ウクライナのレジスタンスにそもそものはじめから政治的に敵対し・何が何でも反対する者との違いが、ここに暴露されるからだ。この論文では後者についてとりあげる。細かいニュアンスについてはふれようとは思わない。これは論戦の文書であって、分析記事ではないのだ。

（3）私は怒りが収まらない。だから、辛辣にもなるだろう。私がそうすることは許されると思う。私はこれを書くことによって、私の口惜しさと怒りを吐きだし昇華しようと思う。

主張1　「もしも他国が私の国を侵略したら、私はただ逃げるのみ」

そうですか、私も逃げました。ふたりの子どもがいますから。

言表されていないことも含めて、この意見の全体をとりだしてみよう。

「現実味のない仮定の話にすぎないが、私だったら侵略されたとしても、これにたいするどんな集団的なレジスタンスも支持しないつもり。だから、私はウクライナのレジスタンスに反対する。」

この意見は、帝国に支配されたりあるいはその恐怖にさらされたりしたことのない国の人たちによるものが多い。しかし、私たちはここウクライナにおいて、空想上の戦争に直面しているわけではないし、あなたの仮定の話につきあっているのでもない。これは完全屈服をせまる明確な帝国主義的侵略なのだ。民族の集団殺戮さえもが叫ばれているのだ。こうした帝国主義的抑圧に抗して戦うことについてマルクス主義者を自称する者が「戦うに値しない」などと口走ったら、彼らは袋だたきにされるにちがいない。

あなたが今のウクライナと同じような状況におかれた時に抵抗しないのはもちろん勝手だ。ただし、あなたとはまったく状況の異なる現実におかれている者たちが結束してくりひろげている抵抗闘争を、あなた自身の尺度をあてがって罵倒するなどもってのほかだ。

主張2　「私は自国政府のためには決して戦わない」

このように主張する者が口には出していないことをすべてとりだすと次のようになる。

「（1）ウクライナ人は自国政府のために戦っている。（2）私はそう思っている。とくに理由はないし、ウクライナ人が政府のために戦いたいのかどうかを確認している訳でもないけれど。（3）いずれにしろ、私はウクライナ人の意見など考慮しようとは思わない。」

分かりきったことだが、この戦争は、（他の多くの政府とおなじように）われわれの〝ろくでなし〟の政府のためのものでも何でもない。馬鹿げた世論調査でも何でも見てみればいい。いわゆる「左翼」連中がお気に入りの——自分たちの意見に沿った結果は考慮するけれども、そうでないものは無視して無きものにするという——実に都合のいい世論調査をね。

たとえこの戦争がこれまでウクライナ政府と何らかのかかわりがあったのだとしても、ロシアが「ウクライナ問題の解決」と称してすべてのウクライナ人民をひとまとめにして「非ナチス化」するというプロパガンダを始めるやいなや、それは政府のための戦争などではまったくなくなったのだ。

二点目の主張について。これは物質的現実からおよそかけ離れているし、それを無視している。三点目は、左翼の原則とはもちろんいっさい関係ない。西側中心でお高くとまった、傲慢な「左翼主義」のあからさまな宣言だ。

この類いの見解のなかで最も驚くべきものは、この戦争についての「分析」なるものが間違いだらけであることだ。こうした人たちは、ウクライナについてまったくといっていいほど何も知らない。さらには、ひとりのウクライナ人も署名していない「戦争反対」の宣言なるものの喧伝。

左翼学者の「スーパー・スター」ともなれば、みんながあなたの論文を真面目に受けとることうけあいでしょうね。たとえ物質的現実が絶望的に悲しいものであっても、また、たとえ人々が瓦礫の下に埋もれていたのだとしても。

主張3

「われわれの国の政府はウクライナ支援の立場であり、私は決して自国政府を支持しない」

このように言う者の真意はこうだ。

「私は、実は自国政府を多くの点で支持している。けれども自国政府を支持しないということにより、私がウクライナのレジスタンスに敵対することを正当化できる。しかも、唯物論の原理に徹するよりもいわゆる〝左翼の通説〟にのっとったほうが、何をやるにしても簡単だし楽である。」

もちろん、これらの人たちは自国政府をある場合には支持し、ある場合には批判し反対もするでしょう。でも、現実は複雑なのだ。ときには、〝ろくでなし〟の政府でさえも、大衆的な進歩的闘いの圧力に突きあげられて正しい行いをすることもある。この主張はまるで、決めたのは政府だという理由でもって、政府が「入国許可」した移民・難民に敵対するようなものだ（はい、はい。そういう人たちがいることは分かってます。「移民や難民が自分たち労働者の職を奪う」などというスローガンを振りかざしてね）。

自国政府に反対することが幻想的原理にされていて、ただただウクライナ・レジスタンスに反対することを正当化するために再びもちだされているのだ。

この主張を擁護するものが依拠しているのは、盲目的に原理化された〝左翼の通説〟なるものである。これをウクライナが直面している物質的現実の分析にとってかえているのだ。

主張4

「ウクライナとロシアの労働者たちは互いに争うのではなく、自国政府に銃を向けるべきだ」

本音はこうだ。

「私の生活が直接的にも間接的にも脅かされているわけではないし、今は何もしないほうがいい。ウクライナのレジスタンスに反対している私を正当化できるナイスで左翼チックな論をみつけたい。」

石みたいに沈黙を決めこんで世界プロレタリア革命まで待っていろ、ということね。いつの日かこのような人たちは、いかなる社会的な闘争も世界革命のその時までやる必要はない、と言いだすのではないだろうか（すでにほとんどそうなっている人がいることは、分かっています）。

この見解は（多くの場合）、いわゆる地位ある人物のものであり、ナイスなレトリックの背後に観念的エゴイズムを隠している。これも長年にわたる左翼的な大衆的闘いの停滞と、グローバル・システムの反動化の産物なのだ。とても良さそうな・誰にでも理解してもらえそうな戯言（たわごと）ですね。もしも誰か、くだらない・馬鹿げたことをやりたい人がいたら、この主張をお薦めするわ。

主張5

「この戦争で得をするのは誰だ？」

本当はこう言いたい。

「ひと握りのエリート資本家階級があらゆる利益を得るのがこの世界だということは分かりきっている。資本主義のシステムはそうしてなりたっているのだから。けれども、私はあえてこの疑問（本当は疑問でもなんでもない）を、ウクライナ人による民族自決の闘いに敵対する私の態度表明として提起しよう。」

西側エリートが得をするからウクライナ人民の民族自決のレジスタンスに反対するなんて、資本家を利することになるからという理由で労働者の生産活動に反対するようなものだ。この見解の、その他のバリエーションは、NATOの武器論争とからんだものなどがある（もちろん、この論争がもっと複雑なものであることは承知のうえだ）。

言わせてもらうが、私たちは進歩的な国家、すなわちこの戦いに必要な物質的支援をこれだけの規模で用意でき、しかもその勝利によってみんなが恩恵を受けるような進歩的国家が存在しない世界に生きているのだ。中国のような帝国主義権力が進歩的たりうると、あなたが考えているなら別だけど。

このくだらない見解は、奥深くかついろいろなバリエーションを含んでいるがゆえに、つっこみどころ満載だ。「勢力圏」についての論争のほとんども、どのみちこのどうしようもない問題にはまりこんでいるのだ。

この意見をまともに受けとるならば、それは私たちが数十年にわたりそのもとで生きつづけてきたこの反動的な現状を補完することを意味する。それは多くの場合、ロシア帝国主義の否定や軽視、あるいはロシア（ないしはあらゆる非西欧の）帝国主義を擁護する感情などに、突き動かされている。ときには、他の考えが、たとえば西側帝国主義に敵対しているかぎりはいかなる残忍な体制であっても支持するような考えなどが、隠れていることもある。

グローバル・サウスの左翼のなかには、密かに復讐心を燃やしている者もいる。この熱情は、たとえそれが西側の傍観者たちが抱いている体制順応的な〝左翼の通説〟なるものよりもはるかに理解できるものであったとしても、ウクライナ人民にたいする意地の悪い軽蔑をその内にはらんでいるのだ。ウクライナ人民を犠牲にして西側帝国主義にたいする報復をはたそうという欲望に、それは満たされているのだ。

主張6　「ウクライナ側の極右はどうなの?」

ここに隠されている主張は——

「私はウクライナのレジスタンスにたいする私の反感を隠すために、極右の問題をイチジクの葉として使う。」

そう、ウクライナには極右グループがいる。そして、彼らは武装している。驚いた？　私たちは戦争のまっただなかにあるのだ。この主張を云々する者たちのほとんどは、ロシア軍内部の極右には無関心だ。ロシア政治全体が、国内外の「諸問題」（そう、たとえばこの一連の戦争）とからみあいながら、恐るべき極右の道を突き進んでいることにもまったく関心がない。彼らは、ロシアの左翼政治学者たちが自国の体制をポスト・ファシストの体制だ、と言っていることにも関心がない。ウクライナのレジスタンスのなかにいる極右グループの数がいかほどのものなのかを知りもしない。他のイデオロギーをもったいくつものグループがレジスタンスに加わっていることにも、また、レジスタンス総体の規模がどれほどのものなのかということにも、彼らはまったく興味がない。中身のない「ナチス」というシニフィアンをロシアのプロパガンダが――誰彼かまわず非人間化するこのプロパガンダが――どれほど利用しているのかということを、彼らは分かっていないのだ。それは、ロシアのプロパガンダとその他の要因のおかげで巨大化した、イチジクの葉にすぎないのだ。

主張7　「ロシアとウクライナは交渉すべきだ。――そのアップグレード版『私たちの和平案をここに提案する』」

この主張には、彼らが唱える和平交渉案に応じた種々の隠れたバリエーションがある。そうした和平案に対応したそれぞれの本音をとりだしてみよう。

「（1）ウクライナは降伏すべきである、あるいは（2）われわれは現実から距離をおいており、われわれの相対的に理にかなった和平案こそが、いまは現実的であると考える。」

第一点目は、相も変わらぬ・古き良き「なんとしても平和を」というものである。このような和平案は、基本的には、ウクライナがロシアにより新たに占領された国土を放棄し、ロシアの理不尽な政治的要求をほとんどすべて受け入れ、国家の独立も人民の自決権も放棄することを前提にしている。とても左翼っぽいこと。

　第二点目で提案されている和平案の内容は、本格的な侵略がまさに始まった春の時点において、交渉のテーブルにのせられたものとほとんど同じである。その要点の一つは、ロシア軍は新たに占領した領土から二月二十三日の国境線まで退却せよ、というものだ。この一点により、提案全体が瞬く間に意味のないものとなっている。提案者は、この段階でプーチン政権がなぜ退却をするのか、また誰が・どのようにこの政権を「説得」してそれを履行させることができるのかといった疑問にたいして、なんら筋の通った回答を示すことができないのだ。

　さらに醜悪な、口に出しては決して語られない本音もある。

「われわれには良識がある。相対的に筋の通ったわれわれの和平案が現時点では非現実的であると分かってはいるが、あの愚かなウクライナ人がそもそも交渉する気がないことを示すために、われわれはなおもこの和平案をかかげるのだ。」

主張8

「西側諸国はウクライナ支援をやめるべきだ、なぜなら核戦争に発展しかねないからだ」

本音はこうだ。

「われわれは恐怖している。だから、どの核保有国もやりたいようにやればいい。」

　そう、私だって核戦争は怖い。けれども、この態度をとりつづけていては、反動的な現状を容認し、帝国主義的政治を助長することになってしまう。また、この議論で抜け落ちているのは、ロシアの攻撃が核軍縮のための世界的な運動に何をもたらしたのかということだ。結果は悲惨なものだ。みずからすすんで核兵器保有を放棄する国があるとは、私はとうてい思えない。みんなウクライナの「宿命」の二の舞になる（「ブダペスト覚え書き」参照）ことを恐れているのだ。ここで責めを負うべきは西欧ではない。

主張9　「あなたとは話したくもない、兵器をほしがってばかりだから」

本音は――

「この戦争の物質的現実なんてどうでもいいし、あなたが不運にも非西欧の帝国に攻撃されたことについて、たいして同情もしていない。ただわれわれの観念上の、一枚岩的で一極集中・西欧中心の国際主義にだけは、やっかいな干渉をしないでほしい。」

この主張はもちろん、先にあげた多くのものと共通点もあるのだが、私はこれを他ときりはなして、それ自体としてとりあげたい。なぜならこの主張は、われわれウクライナ左翼がたびたび耳にし疑問に思うこと、連帯、国際主義、国家権力の不均等性への注目、反帝国主義などの重要なことがらが白昼堂々とわれわれの眼前で投げ捨てられていることを、実に赤裸々に示しているからだ。

主張10

「良いロシアのレジスタンスvs.悪い・不都合な・非存在のウクライナのレジスタンス」

最後になるが重要なこと――実際、この戯言がもっとも私を突き動かしたのだ。あまりにも抑えがたく恥ずかしいほどに非合理な感情がわきあがってくるのだ。最たる例をあげよう。ロシアの反戦活動家が左翼の会合で演説をした時には皆が耳を傾けたのに、同じ会合でウクライナ左翼が、これと基本的に同じ内容を演説すると、幾人かがあからさまに席を立ったり、ブーイングを浴びせたりした。あたかもウクライナ左翼は、ロシアの戦争反対派と一緒でなければ、この戦争についての論議に参加する権利すらないかのようだ。――たとえほんの数日後に、彼らがロシアの反戦活動家の代表とともに他の論議に参加することになっているのだとしても、だ。「よくもウクライナ左翼がロシア左翼ぬきでロシアの侵略について語れるもんだ」、そういうことでしょ？

これは度を超えた例ではあるが、そこまで極端ではない・もう少し穏やかなバリエーションもたくさんある。一方ではロシアの反戦レジスタンスにたいする支持と賞賛、そして他方では、ウクライナのレジスタンスにたいする沈黙など。ロシアの反戦運動のメッセージを広め、ウクライナ左翼のメッセージは無視する。ウクライナのレジスタンスなど、まったく存在しないのだというふりをしている。勇敢で強靱なロシアの反対派について書くと同時に、ウクライナ人を市民の死傷者、難民、かわいそうな犠牲者として描く。

ロシアの反戦レジスタンスは、しばしばウクライナ左翼と同様の主張をして、この戦争に抗するウクライナ左翼を支持している。彼らはウクライナのレジスタンスのために武器を要求しているし、彼らはロシアの敗北を望んでいる。この類似性はどうでもいいのか？

しかし、説明は簡単につく。ロシアのレジスタンスは都合が良いのだ。これと合致する本音はたくさんある。まずもって、彼らは自国政府に反対してい る。彼らは武器を手にしていない。結局のところ、彼らは——ウクライナ左翼とは違って——勇敢であり、耳を傾けるに値するというわけだ。

犠牲者に甘んじることを拒否するウクライナ左翼は、貧しくて頑固で、民族主義的で軍国主義的であり、つまりは不都合なのだ。ウクライナ左翼のレジスタンスとロシアの反戦レジスタンスのあいだのこの違いが露わになったのは何故なのか。それは、帝国主義的攻撃にさらされているのはロシアではないからだ。民族自決権のために防衛戦を戦っているのはロシアの反体制派ではないからだ。

＊　＊　＊

すべての暗黙のメッセージや本音をとりだしたわけではない。なかにはあまりにナンセンスであり、論議するのも耐えがたいものもある。たとえば、「これまでにアメリカは、もっとひどいことをしているから」とか、「社会主義ロシア」とか、「キーウのナチス政権」とか、「ウクライナ政府によって民間人一万四〇〇〇人が殺害された」とか、「そんなに感情的にならないで」とか、「ウクライナを擁護したところで良いことは何もない」（私はそれを自分の耳で聞いた！）とか。

いま口にするだけでも辛くなるようなものが数々ある。

国際主義と現実の連帯が破壊されたのは、いまがはじめてではない。しかし、暗黙のメッセージの背後に何があるのかを無視してしまったら、その再構築に踏みだすことすらできないのだ。理想主義的な妄想、政治権力の不均等性、反動的諸潮流、さらにはその他すべてのナンセンス——これらにより、ロシア帝国主義にたいするウクライナの民族自決の戦いを目の当たりにしながら、多くの人たちが目をそらすという事態が許されてしまっているのだ。

（二〇二二年七月二十日）

闘うウクライナ人民と連帯して その3

「闘うウクライナ人民と連帯して」の〈その3〉として、今回は、ハンナ・ペレホーダさんが、ベルギーの雑誌『Politique Revue de Débats』（『政治論争誌』）の質問に答えたインタビューを紹介する。このインタビューは、『政治論争誌』の二〇二三年十一月六日電子版に掲載され、オーストラリアの『リンクス』（電子版）に転載されたものである。

インタビュー記事の冒頭には『リンクス』によるハンナ・ペレホーダさんの人物紹介が付されているが、補足しておくと、ハンナさんはウクライナ人で「ソツィアルニィ・ルフ」の一員であり、スイスに在住し、スイス・ウクライナ委員会を立ちあげてＥＮＳＵ（ウクライナ連帯ヨーロッパ・ネットワーク）の活動を担っている。

このインタビューのなかでハンナさんは、ウクライナのレジスタンスに敵対する自称「左翼」たちがおかしている反プロレタリア的な誤謬——プーチンの強権的支配体制の階級的野望の捉えそこない・「抑圧する者と抑圧される者との区別」さえしないエセな連帯・その根底にある西欧中心主義など——を完膚なきまでに剔りだしている。

そしてハンナさんたちは、ウクライナにおいては「左翼」を名のることさえ困難ななかで、「民主的社会主義」を掲げ、「親ロシア・親ソ連」を峻拒すると同時に資本主義への幻想など微塵ももたないマルクス主義者として、闘っている。彼女たちがめざしているのは、あくまでも、「資本主義ではない未来」なのである。

なお『政治論争誌』は、「ハンナ・ペレホーダ氏、ウクライナ問題を論じる――『解決策を考えるなら、少なくとも原因を取り違えてはならない』」というタイトルを付けているので、これに従った。また文中の小見出しについては、国際部が付けた（文中の〔　〕は訳者が補足したものである）。

〔国際部〕

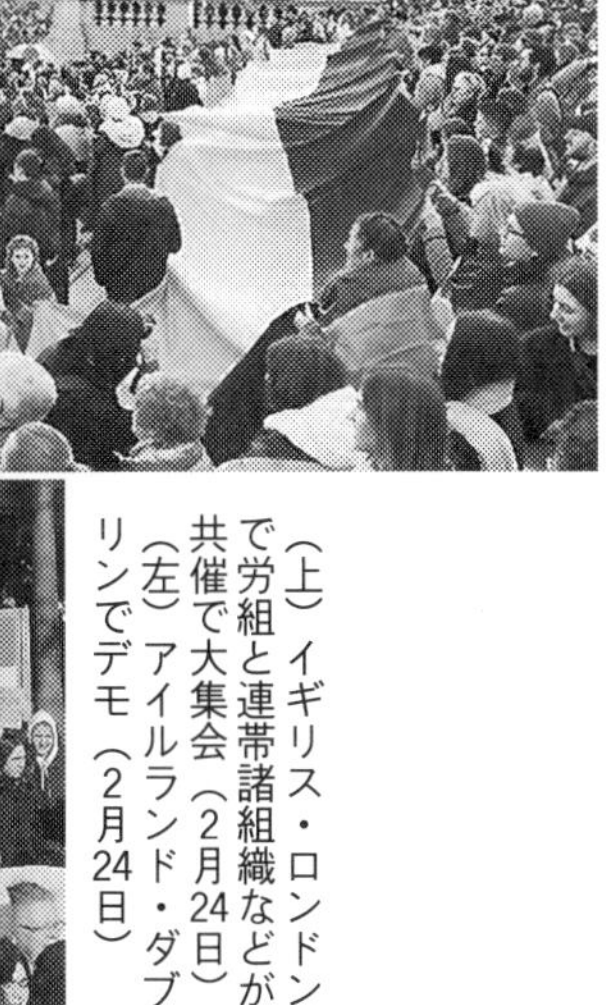

（上）イギリス・ロンドンで労組と連帯諸組織などが共催で大集会（2月24日）
（左）アイルランド・ダブリンでデモ（2月24日）

解決策を考えるなら、少なくとも原因を取り違えてはならない

ハンナ・ペレホーダ
『政治論争誌』二〇二三年十一月六日掲載

ハンナ・ペレホーダ氏は歴史家、ウクライナ人の左翼活動家。二〇一三年以降、ローザンヌ大学の博士課程に在籍（専攻・政治学）。ウクライナとスイスのあいだにあって氏は、ヨーロッパ左翼の立ち位置の混乱について観察し論及してくれている。ヨーロッパの活動家たちにたいして向けられた彼女の鏡が、彼らの真実の姿を照らしだす。

ウクライナ左翼の闘い

――ウクライナの左翼についてお教え願います。その主要な構成部分はどのようなものでしょうか。

ハンナ　ソビエト時代の遺産の重みからして、ウクライナでは、また一般にソビエト後の時代の空気のなかでは、みずからを左翼と宣言するのは簡単な

ことではありません。ましてや社会主義者だと名のることにおいてをや、です。この地域では社会主義というのは、スターリン時代の大量殺戮的政策、一般的には、民族抑圧や政治的テロルを連想させるがゆえに、すっかりその信用が失墜したイデオロギーなのです。

また、これもソ連の遺産というべきですが、労働者やその他の社会的グループが下からみずからを組織していくということは、いかなる形態であれきわめて困難になりました。そのような集団的な行動の試みは、〔ソ連時代には〕何十年にもわたって萌芽のうちに摘み取られてきたからです。そして、一九九〇年代になって、無制限の資本主義が現れ、ウクライナはいわば焦土のようにされてしまいました。社会的諸権利を守る結束した闘いは途絶え、また団結して行動することすら、つまり労働者が自分たちの権利を守るために自己組織化することの余地すら絶たれてしまったのです。そうした状況がはじめて変わり始めたのは、二〇一三年に入って、すなわちマイダン革命にともなってのことだったのです。

組織された左翼の党というものは、いまのウクライナには存在していません。というのも、ソーシャリズムとかコミュニズムとかの呼称はソ連時代の帝国的〝偉大さ〟へのノスタルジーに取りつかれたウルトラ保守の連中、つまり親ロシア勢力を示すものとして使われてきたからです。そういう既成政治における左翼不在という状況をまえにして、フェミニストとか環境保全主義者とかの興味深い動き、いわゆる〝新左翼〟が、下から勃興してきました。民主主義的、反権威主義的左翼とでも申しましょうか。二〇二二年に開始されたロシアの侵略以降、そうした諸々の組織が重要な役割を果たしています。より力強さを増してきたとさえ言っていいでしょう。こうした諸組織は、占領軍にたいするウクライナ人の結束したレジスタンスに参与しています。武装レジスタンスのみならず、市民レベルのレジスタンスにもです。

私じしんは、民主的社会主義の原理に立脚した組織である「ソツィアルニィ・ルフ（社会運動）」の一員ですが、この「ルフ」は、ウクライナ政府の新自由主義的・反社会的な施策に反対しています。労組の活動家たちとともに、戦争にともなう社会的権利の侵害に抗してたたかう労働者に法的支援を提供することもおこなっています。ウクライナ政府が、労働法の基準を満たすことにかんする国際公約を守るよう、政府に国際的に圧力をかけるということもやっています。

私たちは、世界中の仲間にたいして、〔自国政府に〕圧力をかけてほしいと求めています。ウクライナがみずからを防衛しうるように、ウクライナへの軍事的・財政的・外交的な援助をおこなってほしい、という圧力をです。しかし同時に私たちは、こうした他国からの援助が、新自由主義的な・また反社会的な性格をともなった条件のもとになされることには反対です。だから私たちは、ウクライナの対外債務の帳消しのためのキャンペーンもおこなっています。

要するに、私たちは、一点のあいまいさもなく、この侵略戦争にたいするウクライナの勝利のために戦っていますが、そうかといってウクライナ政府の新自由主義的な政策に与することはしない、ということなんです。幸いにもウクライナでは、戦時下ではあれ、その種のキャンペーンをおこなう手段をわれわれは有しています。ロシアとは違ってね。

――そうした二重の立ち位置からすると、他の左翼とのあいだには緊張が走るのではないですか。それともむしろ〝神聖な同盟〟が形成されているのでしょうか。

ハンナ　戦時においては、以前なら存在したかもしれないいかなる緊張関係も消えさっています。この状況下では、私たちと他の左翼とのあいだでは、対立の要因になるところのものよりも、共通するもののほうが多いのです。左翼のなかでは、すでに侵略前からさまざまな思想傾向の人々が合流していました。アナーキスト、民主的社会主義者、反ファシズムの戦闘的部分……ようはスターリニストをのぞくすべての左翼です。というわけは、ロシアの侵攻の前からロシアがきっと軍事侵略を始めるだろうということに、一定の人々は気がついていたからなのです。

誰が軍に入隊し、誰が兵站支援に入り、誰が人道支援に入るのか？　侵略の勃発に備えて、そうした役割分担は事前に済まされていました。もちろん左翼諸団体間の不一致点というのはあるわけですが、その点をめぐる政治的討論を可能とするためにも、まずもって私たちは、私たちの社会が存続しうるということ、基本的権利と自由があるということを前提的に保障しなくてはなりません。それは、ウクライナから政治的主権のみならず・この世に存在する権利すらも奪いさろうとする外国軍の占領下ではありえないもののはずです。

――ＥＵやＮＡＴＯ各国の〔この侵略にたいする〕ポジションということがしばしば論じられるわけですが、その点、あなたが暮らしているスイスにかんしてはどうですか？　この問題にかんする左翼の消極的態度にあなたは直面していますか？　スイスの永世中立という伝統と、それらはどのように関係しているとお考えでしょうか。

ハンナ　スイスの今回の戦争にかんする立ち位置は特異です。まずもってスイスは、天然資源とりわけ化石燃料の取引の場所になっています。周知のとおり化石燃料の採掘・販売は、地球環境を破壊するのみならず、強権体制、この場合プーチン体制の強化につながるものです。スイスはまた、その銀行の秘匿性の〝おかげ〟で、自国であれどこであれ資源の略奪とか違法な収奪とかでお金を稼いでいる人々にとって、絶好の金庫の役割を果たしてもいます。〔これを利用して〕プーチンに近い人々が、彼らやその家族の財産をまんまと隠しているのです。スイスの銀行には一五〇〇億から二〇〇〇億〔スイス・フラン〕もの、プーチンに近いオリガルヒの預金があるわけですが、スイス政府はそのほんの一部だけしか凍結していません。加えて、多くのスイス企業が、制裁をかいくぐってロシアに、兵器生産に転用できる軍民共用の物資、たとえば電子チップなどを売りつづけているのです。

スイスで私たちが立ち上げた委員会は、スイス政府にたいして以下のような姿勢で臨んでいます。すなわち、戦争を遂行し、人民を搾取し、抑圧的政策をとり、地球環境を破壊する者たち――そうした者たちが自分の事業や富や家族を守るための快適なシェルターとしての役割を、スイス政府が続けることを私たちは許さない、ということです。種々の政治的傾向の諸潮流のなかで右派の人たちは、このスイス政府の問題性を論じようとはしません。なぜならそうしようとするかぎり、スイスがこのように裕福で〝中立〟であることを可能にしてきたシステム・その全体を問うことになるからです。もっとも私から言わせれば、中立というのは適当な言葉ではありません。スイスがこのように、国際政治において経済的に利己的でありつづけることを可能にしてきたシステム……とでも言ったほうがよいでしょう。

ところで左翼もまたこの問題を真剣に論じようとしません。地政学のことは好んで論じますが、スイスの富の出所については疑問を呈しようともしない。スイスの左翼もまたそこから〝恩恵〟を得ているからでしょうけどね。しかし何にもまして、この富の〝代償〟はどのようなものでしょうか。開かれた議論において、そうしたことを私たちも問わねばならないと思います。それが不愉快なことであったとしても。

西側中心主義の錯誤

――援助と連帯という観点から、ウクライナ左翼は他のヨーロッパ左翼に何を要求していますか。

ハンナ　第一に要求したいことは、抑圧されているすべての者との連帯であり、すべての抑圧者に反対する連帯です。そして、何よりも、この「抑圧される者」と「抑圧する者」とを混同しないでほしいということなんです。この点をはっきりさせたうえで、私たちは進歩的な諸組織の声、先進的団体の声、個人の声、ウクライナおよびロシアの人々の声がもっと多くの人の耳に入るように保障してゆくべきだと思います。

私たちウクライナ左翼とロシアの反権威主義左翼がともに掲げている要求、それはプーチン体制の敗北です。このプーチン体制は一方ではウクライナ人を殺戮し、他方では何十万人ものロシア人を、あたかも砲弾の餌食にでも供するかのように、彼らが遂行すべき何の理由も持たない戦争へと駆りたてています。〝〔欧米に〕屈辱をなめさせられた〟などと称している〝強いロシア〟奪還主義者どもとではなく・ほかならぬ労働者階級と結びつきさえすれば、殺人のために他国に行くことを拒否するロシア人を支援するのはもちろんのこと、帝国主義的侵略に抗してみずからを守ろうとするウクライナ人を支援することも、すべて私たちにとっての重要な取り組みとなるのです。ロシアにはこのことを理解している組織がいくつもあります。しかしながら驚くべきことは、ヨーロッパの左翼がどうもこのことを理解していないらしいということです。ソツィアルニィ・ルフと「ロシア社会主義運動」とは、この侵略のまさにはじまった直後に共同の声明を出しました。が、ウクライナとロシアの社会主義者から出されているこうした意見は、ウクライナにもロシアにも一度も足を踏み入れたことのない〝地政学の専門家〟たちの意見よりも明らかに価値が低いと見られているのが現状です。

――こうした連帯を創造することにとって、ウクライナ左翼が直面している障害とはどのようなものですか。

ハンナ　私たちは、いくつかの左翼組織や左翼の人物が、ことウクライナ侵略の問題では敵対する右翼勢力と驚くべき共犯関係を露わにすることを目の当たりにしてきました。アメリカ帝国主義へのその断固たる反対姿勢のゆえに人々の尊敬を集めもするような〝左翼〟の人たちがですよ。彼らのなかには、ロシア帝国やその後のソビエト体制の抑圧に苦しめられてきた諸国の、その歴史的経験を無視し、時には全否定する連中さえいます。私の見たところそこには、強烈な心理的要素が働いているのではないか。方法的な自己中心主義とでも言うべきでしょうか。すなわち、この地球上で勃発するいかなる戦争の背後にも、西側、とりわけアメリカがいると信ずることは、非西欧の国々がみずから自身で戦争をしかけていると考えるよりも精神的に落ち着くというわけです。その理屈に従えば、ロシア国家ですらもが自分で行動する能力を奪われていて、全能の西欧にたいして受動的に反応することしかできない、ということになります。良きにつけ悪しきにつけ、西側こそが唯一かつ真の行為者である、と彼らは考えているのです。まさにここに、西側帝国主義にたいするもっとも辛辣な批判者たちもまた西側中心主義から脱却しえていない、ということが、逆説的に示されている、と言えるのです。

　もちろん、私たちはアメリカ帝国主義や西側の覇権主義——じつのところ、没落しつつある覇権主義ですが——には反対しなければなりません。しかし、〈西側 対 その他の世界〉という、しかもその後者は抑圧された者たちだけから成っているという、この二元論にとどまるのはやめにしようではありませんか。こういう図式に陥るならば、アメリカに抑圧されていると主張する国家の支配階級を、無自覚的にせよ手助けすることになってしまいます。そういう国の支配階級というのは、じっさいには、排他的支配圏の再分割をこそ要求しているにもかかわらず。

　具体的に言えば、西側左翼は中国やロシアやイランの支配階級の行動を、それが反米であるという口実のもとにしばしば正当化します。この、〔支配〕層中心主義的なアプローチというのは、本源的に左翼の政治的価値観と相いれないものです。というわけは、こうしたアプローチをとるかぎり、中国やロシア、イランといった国々の被支配階級の存在は不可視化されてしまうからです。こうした労働者階級の人々は、みずからの命をかけて、自由と尊厳のためにみずからを支配する独裁者に立ち向かっています。ところが、アメリカ覇権主義と争うことに忙しい西欧左翼活動家のなかには、こうした労働者たちよりも、むしろプーチン、習近平、ライシにより親近感を覚えているんじゃないかと思える者がいるほどなのです。もし、国益という観点ではなく階級的な連帯という観点で考えささえするならば、——アメリカ帝国主義にたいしてであれ、中国やロシアの権力者にたいしてであれ——自由のためにたたかう彼ら労働者と連帯しないなどということはありえないはずではないですか。

また、もしこういう非西欧の帝国主義の台頭を、それが西側覇権主義に対抗する〝多極的〟オールタナティブを提示するものだとかと言って歓迎するのだとするならば、それはこの〝多極〟世界がもたらすものにじっさいに直面することになる人民にたいして、あまりに無責任というほかありません。この〝多極〟世界の出現は、戦争と、独裁の強化をともなうものにほかならない。〝NATOの傘〟に守られて安穏と暮らしている人々は、そういう〝多極的世界〟の悲惨に自分たちが苦しむことはないというわけでしょう。ですが、この〝多極性〟の代償をすでに支払わされているのは、私たちウクライナ人であり、シリア人、クルド人、そしてウイグルの人々なのです。

結局、こういう活動家たちにとって一番大切なのは、抑圧に抗してたたかう社会との連帯というよりは、ともかく〝主流〟の逆を行きたいというような欲求でしかないんじゃないですかね。で、彼ら活動家はたとえば、パレスチナ人の闘いは支援するけれどウクライナ人の闘いは支援しないわけですが、そのただ一つの理由といえば、パレスチナ人の闘いを支援すれば反主流として自分をおしだせる、というくらいのことでしょう。実のところ、ウクライナ人もパレスチナ人も、ここでは行為の主体として、血と肉を持った・生きた人間としてうけとめられてはいません。活動家たちの、幻想と思い入れの対象としてでしかないんです。抑圧とたたかう人々との真実の、形ある連帯を創造するためには、まずは左翼がこの自己満足のバブルから抜け出てこないといけないんじゃないでしょうか。

人民は花ではなく武器を手にして闘ってきた

――インターナショナリズムとか、平和主義といった概念がありますね。左翼の遺産の中心に位置し、ロシアの侵略をめぐる議論のなかでよく耳にするこれらの概念が。そしてそれは、ある立ち位置を守るために使われたと思えば、その逆の立ち位置を守るために使われもします。あなたの考えでは、これらの同じ概念を使いながらも人々が同じ立場に立てないのはどうした理由によるのだとお考えですか。

ハンナ　インターナショナリズム、国境を超えた連帯、階級的連帯……これらは確かに、左翼の遺産の中心的なものと言えます。しかし、平和主義がこれに含まれるとは、私はまったく考えません。歴史をつうじて、人民は権利と自由のためにたたかってきました。ほとんどの場合、武器を手にしてたたかってきました。人民が手にしたのは、花ではないんです。また私は、ウクライナの人々にとっては、平和主義というのは無縁のものだと思います。他方、ロシアの人々にとっては事情は異なります。だから私たちは、ロシアの平和主義者の声がより大きく聞こえるように、彼らに賛成してキャンペーンを展開してもいるのです。

侵略を正当化するためにプーチンはあからさまに言いました。「独立したウクライナ」なるものは歴史的に誤りだ、ウクライナには社会として、国家として、存在する権利などはないのだ、と。こういう状況で、もし、死の危険に直面した自分の隣人がみずからを防衛する権利、その権利を否定せんがために平和主義なるものを引き合いに出すのだとしたなら、その人は、次のうちのどちらかだということになるでしょう。すなわち、もっとも強い者の権利が他のすべてのものに勝るというような世界に生きることを好んでいるか——たとえばビクトル・オルバン、ドナルド・トランプ、ジャイル・ボルソナロ（プーチンのやり方が当たり前になることに利害を見出すような者たち）といった「上流身分の平和主義者」たちの場合ですけれど——あるいは侵略者を怖れつつも、その侵略者が殺すのが自分でなく隣人だけでありますようにと願望しているか、そのどちらかです。すでにヨーロッパの歴史には暗い先例があって、〝隣人を殺した侵略者が自分の家のドアの前で進むのをやめる〟ことを期待することによっては戦争は止められなかった、ということを私たちはその先例から十分学んだはずなのに……。このことが、私にとっては一番の驚きなのです。

真実をあいまいにする人々、ファシスト、ウルトラ保守、権威主義的勢力にたいしては、私たちはたたかわねばならないのです。平和とか民主主義とかの観念は、天から降ってきたとでも思っている人がいるのではないですか。そうではありません。それらは社会的な闘争によってかちとられた成果であり、一九四五年の反ファシズム戦争勝利の結果なのです。プーチンは、西欧の人々の道徳的な怠慢と、記憶の短さにこそ依拠しようとしていますが、私たちは一九三〇年代の教訓を決して忘れてはなりません。そこにおいても、ヨーロッパ左翼のなかに同様の分裂がありました。一九三九年の時点で、イギリス帝国主義こそが主敵であり、そしてナチスドイツの台頭はよりバランスのとれた国際秩序の創出につながるなどと願望した者どもが、左翼のなかにもいたではありませんか。

――平和主義についてのあなたのコメントをうかがっていると、左翼にかんする議論のひとつは、ウクライナ・レジスタンスへの武器援助をどう考えるかということに結びついているようですね。ヨーロッパ左翼の一部は、この援助、とくに武器と兵站の援助にかんして憂慮しています。彼らは、こうした武器援助が、最悪のばあい右翼、さらにいえば暴力的で領土奪還主義者の極右を活気づけることになるんじゃないか、というのです。もっとも悪くないシナリオでも、この種の援助はつまるところ、あなたが新自由主義的と呼んだウクライナ政府、社会的・市民的権利についてほとんど注意を払わないこうした政府を支えることになるんじゃないか、ということが言われるわけです。ウクライナ・レジスタンスへの支援が間接的にもたらす結果にかんする、こうした議論についてあなたはどのように考えますか。

ハンナ　たぶん、次のようなことを想起するのも無駄ではないでしょう。ゼレンスキーはロシア語を話すユダヤ人であり、彼は民主的選挙をつうじて大統領に選出される以前にはウクライナ語を話しさえしませんでした。それ以前の大統領とは違ってゼレンスキーは、エスノ・ナショナリスト的な物言いに反対して、ウクライナの異なった諸地域、ロシア語話者とウクライナ語話者との団結を強調しました。それでも、七〇％超のウクライナ人が彼に投票したのです。〝右翼ナショナリストが代表する国〟にしては、奇妙なこととは思いませんか。極右と言われる人々は、選挙連合を形成しはしましたが、直近の議会選挙では二％しか取ることができませんでした。ひるがえって、多くのヨーロッパの国々では、極右候補はどれだけ多くの票を取っていたか、覚えておいでてでしょうか？

ウクライナは複雑な社会です、他のすべての社会と同様に。ええ確かに、極右といわれる人々もいますよ、どの国もそうであるようにね。でも、社会、文化、メディアのなかにそうした極右勢力が存在しているとしても、それは正当な政治的主体にはいまだなりえていないのです。暴力的で領土奪還主義者の極右は、なるほどあなたのいうように、権力の座についていますよ。ウクライナじゃなく、ロシアでね。彼らはある種の新自由主義的な強権主義の形から、ファシスト独裁にまで転態しました。私がファシズムと言うとき、これは罵り言葉ではありません。ファシズムというのは政治体制のきわめて具体的な形態を指す概念なのです。国内における危機と、湧き起こる課題を解決するために、ロシアの強権体制はだんだんラディカルな手法を導入してきました。そしてついに独立した国を侵略し、核兵器で世界を脅すまでになったのです。

私たちにとって大事なことは、ターゲットを間違えないことです。ロシアでは極右が権力を握り、ジェノサイドを煽動するような言辞を弄し侵略戦争を遂行しているという、この事実には見て見ぬふりを決めこんでおきながら曖昧模糊としたウクライナの一部勢力の存在を誇張しないことです。

理想的な世界においては、戦争はなく、選び取るべき選択肢もありません。しかし、私たちはまさにいま選択に直面しています。侵略の犠牲になっている者を支援するのか、それとも侵略者に殺戮を続ける機会を与えるのかという選択です。これはウクライナだけの問題ではないということを銘記するのも大切です。プーチンがもし勝てば、プーチンに似た政治体制が標準になっていくでしょう。国内政治の正当性が揺らぐような問題を解決するためには、侵略戦争に訴えることこそが、正しく、受け入れ可能な選択なんだというようなシグナルを、世界の侵略者たちに送ることになるでしょう。もし私たちがここで戦わなければ、私たちは、みずから大国と自認する国々が勢力圏を再配分しようと相争う世界——換言すれば全面戦争が一般化した世界のなかで、目を覚ますということになるのです。

　ウクライナを支援することにかんする懸念ということについて言えば、一九一六年のアイルランド革命にさいしてのレーニンの言葉を私は想起しました。当時多くの左翼が、「アイルランドの人民蜂起は」ただの暴動であって、アイルランドのナショナリストを支えたところで社会主義者が得るものなど何もないと言って、この革命を支援しようとはしなかった。これにたいしてレーニンは言いました。「純粋な社会革命をただ待っているにすぎない者は、結局生きてそれを見ることはないであろう」と。ちょっと今起きていることに似てませんか。私たちが当然だと思っている基本的権利と政治的主権を守るために、武器を手にとってたたかう人々にたいして、〝あなたは私にとって十分な左翼ではない、〔だから〕私はあなたを支援しない〟と一部の左翼が言う……。じつに傲慢な姿勢ではないですか。

プーチン政権は何を恐れているのか？

――結論的にいうと、ウクライナ戦争にかんして、左翼のなかに二つの相争う見方があると思います。NATOがその一方を担う二大地政学的ブロックの激突という見解と、ロシアの支配体制の内にひそんだ要因にもとづく争いという見解です。ではなぜ、この二つの見解は両立しないのでしょうか。いずれも正しい、と言ってはいけないのでしょうか。

ハンナ　二つの見解の一方がもう一方と決定的に対立するようなとき、そうした見解には賛成したくないと考えることは、たんに理論のうえでの話ならありうることかもしれません。ですが実践上は、ひとたび私たちが「ＮＡＴＯはこの戦争の勃発において大きな責任を持っている」と仮定したとなると、〔戦争勃発の原因についての〕原理的説明に、したがって全体としての論じかたに、よからぬ基礎づけを与えてしまうことになる……ということに私は気づいたのです。ＮＡＴＯがロシアの勢力圏を包囲したのであり、ロシアはこの西欧の脅威にたいして対抗しただけ、という考えがあります。このように解釈するなら、次のような重大な政治的示唆をともなった結論を導かないわけにはいきません。つまり、もし西がロシアの正当な勢力圏を包囲したからロシアが戦争をはじめたというのであれば、このことは、ロシアの要求が満たされさえすれば戦争は避けられた・あるいは終結したということを意味する……と。

まずもって、こうした解釈が露骨に語っているところのものは、ロシアやアメリカや中国のような〝大国〟でないかぎり、そもそも国家主権などないし、植民地になる運命は免れがたい、ということです。しかし、さしあたりすべての道徳的・倫理的な問いかけを括弧に入れて、〝平和への鍵はすべからく世界が複数の勢力圏に分かたれることを受容することにある〟と認めてみた（この種の世界的構造が二度の世界大戦を引き起こしたということも今はさしあたり措くとして）としても、それでもなおいくつかの疑問が湧き起こるのです。

考えてもみようではありませんか。戦争を阻止するという崇高な目的を達成するために、ウクライナを分割し、そしてウクライナの残った部分は決して西側との軍事的・政治的・経済的同盟関係を結ばないことをロシアにたいして〝保証〟したとしましょう。では、これでプーチンをなだめられるなどと、どうして言えるのですか。ここで思いだしていただきたいのですが、二〇二一年十二月に西側にたいして発せられたプーチンの最後通告、そのなかで彼は、全東欧を要求していたのです。プーチンがイメージしているロシアの勢力圏というものは、ウクライナで終わるのではなく、実のところどこまでなのか、誰にもわからないのです。もっとも正鵠を射ていそうな答えは、〝どこまでいっても終わらない〟。なぜなら、およそ国境を接するあらゆる民主的な国家は、すべてロシアにとっての脅威なのだからです。むろん、ロシアの人々にとっての脅威、ということではなく、ロシアの強権体制にとっての脅威、ということです。

　もし、今回の戦争の原因を、二つの陣営間の激突に帰するとするならば、NATOがロシアの安全保障にたいする脅威を現実に投げかけた、というように考えることを意味する。まさにそこが間違いなのです。プーチンの言っていることを、それこそ額面通りに受け取ってしまっているのですから。

たちどころに思いだされるのは次のことです。フィンランドが今年、NATOに加盟しました。このとき、フィンランドの外相が、〝フィンランドの加盟以降、ロシア軍の国境地帯への追加配備はなかった〟と言いました。もしNATOがロシアにとっての客観的な脅威なら、なぜロシアは軍隊も動かさず、またフィンランドを脅威と描く公式のプロパガンダもおこなわなかったのでしょうか？　明らかに、プーチンにとって、ロシアと一三四〇キロメートルもの国境を接するこの国がNATOに入ったことは、なんら問題ではありません。反対に、公式にはNATO加盟候補にさえなったことがないウクライナ、このウクライナがロシアの存立にとってのさし迫った脅威だとみなされているのです。だからおそらく、プーチンを脅かしているのはＮＡＴＯではない。では何か？

　私たちは忘れがちなのですが、プーチンはつねに必ず反西欧だったというわけではありません。彼が、ロシアは脅威にさらされていて、この脅威は西側から来ていると言いだしたのは、たかだか二〇一一年になってからのことなのです。二〇一一年に何が起こったか？　この年が、西側がロシアにたいしてとりわけ侵略的だった年なのか？　まさか。この年に唯一起こったことといえば、プーチンが三度目の大統領就任を可能にしようと憲法を踏み破ったことにたいして、一般のロシア人が、街頭での抗議闘争に起ちあがったことだったのです。権力を失うというエリートたちの恐怖、それが、ロシアをば敵に包囲された要塞と描きだし、そしてプーチンを、この外なる脅威からロシアを守ることのできる唯一の指導者であるとみなすような言説を生みだしたのです。「プーチンなくして、ロシアなし」、これはプーチンの党の指導者の一人ヴャチェスラフ・ヴォロジンの言葉です。

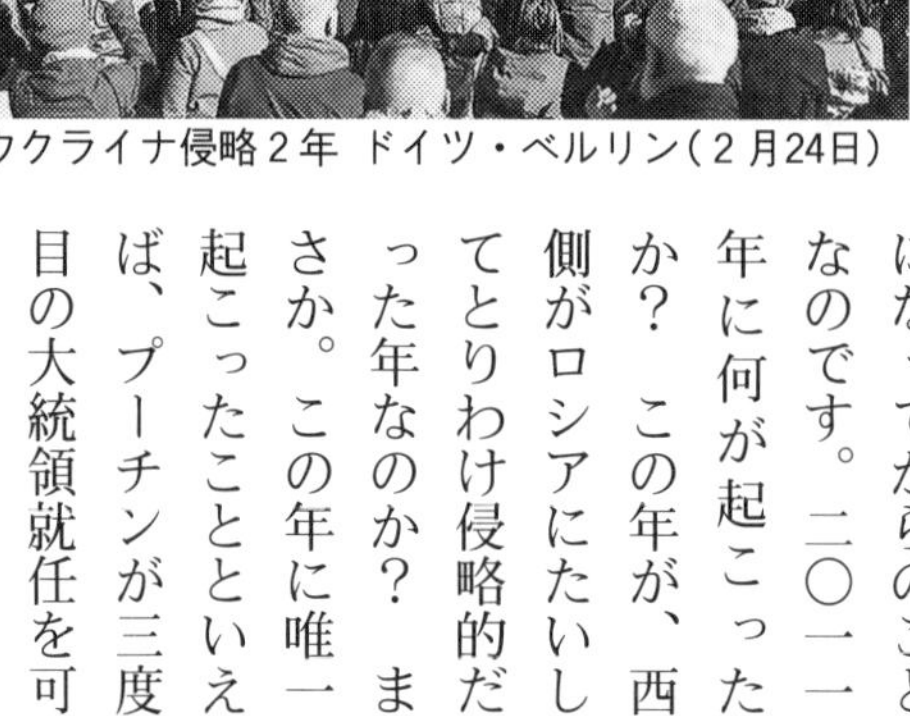

ウクライナ侵略２年　ドイツ・ベルリン（２月24日）

　私の意見では、この戦争は、ロシア社会への客観的な脅威にたいする対応でもなければ、陣営間の緊張に起因する外的脅威にたいする対応でもありません。それは、国家装置を掌握し、その権力の一部すらも放棄しようとはしないロシア・マフィア、彼らによって観念された脅威にたいする対応なのです。したがって、危機にあるのはロシアではなくロシアの政治体制であって、この脅威はロシア国内の階級的諸利害間の緊張からくるものなのです。人口のわずか一％が国の富の七五％を支配するような国で、権力を保持しつづけるのはむずかしい。だからこそこの政治体制は、近隣諸国の民主主義的傾向を圧殺するためにはどんなことでもやる。とりわけウクライナにおいて。ウクライナは、普通のロシア人たちがもっとも文化的に近しさを感じている国です。もしこのウクライナが民主的で繁栄した国をつくりあげることに成功したなら、それはロシア人のあいだに〝危険な考え〟を呼び覚ますことになる。彼らロシア人はみずからに問うかもしれない――〝もしウクライナ人が普通に生きてゆくために、強権的で抑圧的な国家を必要としないのだとしたら、なぜわれわれロシア人にそれが必要なのか？〟と。

最後に、NATOは東ヨーロッパにおいては主導性を発揮してはいない。NATOに熱烈に入りたがっているのはこれらの東欧の国々じしんであり、加盟が実現できるようしきりに圧力をかけている。なぜか。それは彼らにとってはロシア帝国主義が本当にさし迫った脅威であるからです。そしてなにより、NATOの構成国になるということ以外に、これらの国に安全の保障を与える手立てがないからです。思いだすべきこととして、ウクライナは一九九四年に「ブダペスト覚書」をかわし、ロシアがウクライナの主権と国境線を尊重するという保証と引き換えに、当時世界三位であった核戦力のすべてを放棄しました。ロシアがこの合意を破り、これに世界が沈黙を保ったとき、旧ソ連圏のすべての国々は、〝あんな紙切れなんて何の役にも立たない、侵略にたいするNATO加盟国の相互防衛を規定した北大西洋条約第五条こそが、みずからを守る唯一の妥当な道だ〟と考えたのです。国連が脳死状態に陥っており、国際的コミュニティもまた安全保障の代案を提示することさえできないかぎり、軍事同盟の解体を要求するのはいかにも空論とうけとられたのです。

ロシアのウクライナ侵略戦争にたいする解決策を考えるためには、少なくともその原因について取り違えをしないことです。地政学的な論立ては、この戦争を理解するうえでも、いわんや出口を探るうえでも、不適切である。私はそう思います。

（インタビューがおこなわれたのは二〇二三年五月九日）

政府・独占資本による物価引き上げを許すな！
大幅一律賃上げ獲得！

二四春闘の戦闘的高揚をかちとろう

――2・11労働者怒りの総決起集会　第一基調報告――

今田礼人

二四春闘を戦闘的に創造するために結集した労働者の皆さん！　政府・文科省と愛大当局、そして国家権力が一体となって仕掛けてきた大弾圧に、仁王立ちとなって立ち向かい、「不屈」にたたかいつづけている全学連の皆さん！

能登半島北部を震源としたマグニチュード7・6の大地震（二〇二四年一月一日）によって、石川県を中心に多くの建物が倒壊・焼失し、二四〇人もの人々の命が奪われました。いまだに十数人の方が安否不明のままです。私は被災した労働者・人民を見殺しにした岸田・自民党政権への怒りに燃えて、そして今春闘を労働者の団結した力でたたかいぬく決意をこめて、基調報告をおこないたい。

被災した労働者・人民が時々刻々と命を失っていたにもかかわらず、首相・岸田は救助のために自衛隊をほとんど動かさなかったではないか。なんと十

24春闘勝利！ 全国の闘う労働者が決意を固める（2024年2月11日、東京）

一ヵ国の同盟国軍との軍事訓練を優先したのだ。それどころか一月四日の記者会見において岸田は言い放った。「憲法改正に向けた最大限の取り組みも必要」だ、と。この大災害を利用して、憲法に「緊急事態条項」を盛りこむ決意を披瀝し、憲法改悪に突進する姿勢をむきだしにしたのだ。

それだけではありません。自衛隊の派遣を遅らせたことに批判が噴出しているさなかの一月五日、首相・岸田は財界三団体の「新年会」に馳せ参じ、その足で「連合」の「新年互礼会」にも顔をだした。この男は災害対策をそっちのけにして、今春闘を「日本経済再生」のために活用する〝ハラあわせ〟に腐心していたのだ。まったく許しがたいではないか！

急激な物価高が二年以上も続き労働者・人民がいよいよ困窮を深めるなかで、われわれはいま、この現実を覆すべく二四春闘に臨んでいます。しかし今春闘の現状は今までにもまして危機的です。「連合」指導部は、「三％以上」という物価上昇率にもおよばない超低率の賃上げ要求を「目安」として掲げているにすぎない。その他方で彼らは、「デフレ完全脱却のチャンス」と叫ぶ経団連や岸田政権に呼応して、〝「価格転嫁」を社会全体に滲透させることが今春闘の最大の課題〟などと言いだしているではないか。政府・独占資本家につき従い、労働者にさらなる貧窮の受け入れを強制する「連合」芳野指導部を断じて許さない。われわれ労働者は我慢の限界にきているのだ。「連合」指導部を弾劾し、いまこそ大幅一律賃上げ獲得をめざしてたたかおう！

同時に、諸物価引き上げ・公共料金値上げ・社会保障費削減・「軍拡大増税」に反対する政治経済闘争を、そして日米軍事同盟の対中攻守同盟としての強化を許さない反戦・反安保闘争を推進しよう！

プーチンによるウクライナ侵略・人民虐殺弾劾！狂気のシオニスト・ネタニヤフによるパレスチナ人民へのジェノサイドを許すな！　空爆・銃撃などによって殺されたパレスチナ人は、四ヵ月で二万七〇〇〇人を超えた。ウクライナとパレスチナで、労働者・人民が、女性や子供が、いまこの時にも虐殺されている。この狂気の蛮行を決して許してはならない。

Ⅰ　賃上げを抑制する独占資本家とこれに〝一体化〟した「連合」芳野指導部

（1）二月一日に「連合」と経団連の「トップ会談」が開催された。この「会談」において、労働者にありとあらゆる犠牲を強いている経団連会長・十倉雅和は「春闘の『闘』は共闘だ。デフレ脱却にむけ、一緒にやっていきたい」と「連合」会長・芳野友子にエールを送った。これに喜々として応じた芳野は、「労使関係はある意味、運命共同体」だとまで言いきったのだ。これが今春闘の最大の特徴である。『経労委報告』において「連合」春闘方針の「基本的な考え方や方向性、問題意識は、経団連と多くの点で一致している」と言われている。このことについて、芳野は「分配をめぐってはいろいろ立場があるが」、分配以外は経団連と共通している、と応じたのだ。経団連会長・十倉から「労使は経営のパートナー」だともちあげられた芳野は、この独占資本家に抱きつき〝一体化〟して、二四春闘を裏切ろうとしているのだ。

（2）今春闘の第二の特徴は、政・労・使が声を合わせて昨二三春闘での賃上げを「三十年ぶりの高水準」などとおしだし、この「賃上げの流れ」を続けるとか中小企業に波及させるとかと強調していることです。これは「連合」指導部を完全にとりこんだ独占資本家とその政府が、余裕をもって賃金抑制攻撃をふりおろしてきているということにほかなりません。彼らは「賃金と物価の好循環」を実現し「デフレから脱却」するなどと言いつつ、「生産性の改善・向上」なくして賃上げはないと断じているのだ。独占資本家は、〝経済の「安定的・持続的な上昇局面」で「適度な賃上げ」を考える。今年の賃上げについては、いまの急激な物価高騰は「短期的」なものだから対応せず、日銀が掲げる「適度な物価上昇目標」の二％を勘案する〟と言い放ち、賃上げを二％以下に抑えるハラづもりなのだ。

これに呼応して賃上げ要求をわずか「三％」に自制しているのが「連合」指導部だ。〝押し寄せる物価高を何とかしてほしい〟〝賃金が上がらなければ家族も養えない〟――こうした労働者の切実な声を歯牙にもかけず、「連合」会長・芳野は、「連合は数字を示しているだけ」、あとは「個々の労使関係で決めればいい」と言い放っている。これだけ物価が高騰し、実質賃金が下がりつづけているにもかかわらず、賃上げのために「連合」としての統一闘争を組織することなど考えようともしていないのだ。

芳野は、二三春闘で「三十年ぶりの賃上げ水準」を実現したと強調している。この「賃上げの流れ」を中小・零細企業、非正規雇用労働者を含めた「社会全体」に波及させ、「デフレから脱却」し〝適度なインフレ経済〟を実現する、というのが芳野いうところの「経済社会のステージ転換」の中味なのだ。経団連のいう「賃金と物価の好循環」論とどこが違うというのだ。

そもそも「三十年ぶりの賃上げ水準」というが、独占企業の経営者は、大多数の労働者には賃上げゼロかほんのわずかの賃上げを強制する他方で、高度技術労働者や、デジタル化した業務を統括する「経営幹部」候補の労働者を獲得するために、こうした労働者には相対的に高い賃金を出してきた。こうして労働者の階層分化・二極化が進んだのであり、これが「賃上げの流れ」なるものの実態なのだ。この労働者の二極化をおしかくすためにも、ことさらに中小企業の労働者や非正規雇用労働者の賃上げを強調しているのだ。

（3）第三の特徴は、政・労・使の三者が声を合わせて「価格転嫁」の必要性を言いつのっていることである。十倉が叫ぶ「賃金と物価の好循環」論に、「今春闘は、経済も賃金も物価も安定的に上昇する経済社会へとステージ転換を図る正念場だ」と唱和しているのが芳野だ。この輩は、二月一日の「トップ会談」において、この「ステージ転換」のために、「大企業は社会的視座をもって能動的に適切な価格転嫁を進めていただきたい」と居並ぶ独占資本家どもにお願いしたほどだ。

「賃上げの原資を確保するには、人件費や原材料のコスト上昇分を発注元との取引価格に反映する価格転嫁が欠かせない」――このような「連合」会長・芳野の言辞は、「サプライチェーン全体をつうじ、適正な価格転嫁は当然との認識を社会で共有すべき」という独占資本家の御託を補強するものではないか。芳野は、「商品やサービスには、その価値に見合った値段があることを認め合いましょう」とほざき、独占資本家による物価つり上げを全面的に容認しているのだ。

（4）第四の特徴は、独占資本家どもが「持続的な生産性の向上」ということを執拗にくりかえしていることです。経団連の独占資本家どもは、「構造的賃上げ」のためには「持続的な生産性の改善・向上」が必要だとがなりたてているのだ。

骨だけ言いますが、経団連の独占資本家は、いまの物価高騰を「デフレ完全脱却のチャンス」とみなし、「成長と分配の好循環」によって、賃金も上がり「日本経済を再生」することもできると吹聴している。そしてそのためには各企業が「賃上げ原資」を「継続的に確保する必要」があり、「持続的な生産性の改善・向上」が不可欠だ、というのです。これは、かの元首相・安倍晋三と元日銀総裁・黒田東彦がふりまいた「アベノミクス」による「トリクルダウン」論の焼き直しだ。アベノミクスがもたらしたものは、円安・株高であり、大企業は過去最高収益を更新しつづけ、内部留保を五四〇兆円を超えるまでに増大させてきた。他方で労働者の賃金は切り下げられつづけてきたということだ。いま政府と独占資本家が叫びたてている「成長と分配の好循環」とか「賃金と物価の好循環」とかというものは、その今日版でしかない。労働者からの搾取の強化を隠蔽し、〝果実のおこぼれをもらいたければ「生産性向上」に協力せよ〟というのがこの論法の核心である。

しかも「賃上げ」といっても「構造的賃上げ」であって、強欲な資本家どもは、「労働生産性の改善・向上」に貢献するとみなしたIT、AI関連など一部の高度技術労働者には年収一〇〇〇万～二〇〇〇万円もの賃金を払い、その他の大多数の労働者には低賃金を強いるのだ。

経団連や自民党政府が「デフレ経済からの脱却」を執拗に叫ぶのは、デジタル化のたち後れによる国際競争力の低下を打開するためだ。岸田政権は、いまや巨額の国家資金を投じて、半導体や軍需産業の育成、脱炭素化やデジタル化をおしすすめようとしている。こうした産業・事業を推進するために、「生産性の改善・向上」ががなりたてられているわけなのだ。

(5) 第五の特徴は、〝二四春闘をストライキでたたかうぞ〟という声が澎湃とまきおこっていることである。経団連や「連合」指導部が、異例にもストライキについて言及していることに、このことは如実にしめされています。

世界的な物価高騰のなかで、アメリカ・ヨーロッパ・アルゼンチン・オーストラリアでは労働者が賃上げ・時短などを求めて続々とストライキに決起している。このニュースを観て、私はもちろん、多くのたたかう仲間が心躍らせていると思います。

こうした海外の労働組合のストライキ闘争だけでなく、とりわけ昨年うちぬかれたそごう・西武労組のストライキ闘争に、社会的な共感が広がっている。貧富の差の拡大、階層分化の深まりを物質的基礎にして、「古典的貧困」に突き落とされている労働者たちのなかにストライキへのこうした共感がうみだされているのだ。

このような共感が二四春闘に波及することを、何よりも恐れているのが経団連の資本家どもだ。「労使協調路線」にもとづいて構築してきた「労使関係は軽々に揺らぐものではない」という彼らの言辞に、ストライキ闘争への敵愾心と恐怖が露わになっているではないか。この独占資本家どもと気脈をつうじているのが「連合」指導部・芳野だ。この輩は全米自動車労組のストライキ闘争に触れて、「日本の企業内労組は交渉のやり方が全然ちがう」、「日本は労使一体で経営をチェックし、企業を発展させる考え方だ」と言いつのったのだ。

独占資本家どもの言辞は、まさにみずからの〝墓掘人〟が立ちあがったことへの根源的な恐怖であり、「連合」・芳野の表白は、この独占資本家に飼い馴らされた労働貴族どもの焦りなのだ。

「ストライキ」にかんして、黒田さんは『実践と場所』第二巻(こぶし書房刊)において、次のようなことを論じています。

「生産過程にたいして連続的非連続の関係にある場面における階級闘争が、生産過程に直接に連続化されて闘われるばあいには、この闘争は生産過程を強制的に切断するものとしてあらわれる。ストライキという闘争形態を諸労働組合が組織的にとり実行するものとして、この闘争はあらわれる。」「……生産過程そのものの連続性をばストライキ闘争形態をもって切断し、もって資本の側に打撃をあたえつつ、同時に決起した労働組合員に階級的自覚をうながし彼らを階級的に組織する、というような革命的創造性」。(一一六〜一一七頁)

「労働者の『団結権』とか『ストライキ権』とかは、労働者階級の階級的諸利害を貫徹することを、譲歩した支配階級が是認したことの法律的表現である」。「労働者階級がみずからの階級的＝特殊的諸利害を貫徹することのブルジョア国家による法律的承認が、『団結権』であり『ストライキ権』であるとするならば、こうした階級的意味をもつ権利を、権利をあたえられ獲得した賃労働者階級は徹底的に行使する義務をもつのであって、これこそは同時に労働者階級の責任でなければならない。……(以下

全国各地・各戦線での闘いをビビッドに報道／政府の政策や反動イデオロギーのまやかしを徹底批判／理論＝思想創造の熱い息吹き——学習や研究論文も充実／内外の時事問題を解きほぐす分析・論評記事を満載！

『解放』販売書店一覧

●北海道

MARUZEN＆ジュンク堂書店札幌店	中央区南１西１
東京堂書店	札幌市北区北24西５
TSUTAYA木野店	音更町木野大通西12

●東京都

書泉グランデ	神田神保町
ジュンク堂書店池袋本店	南池袋
紀伊國屋書店新宿本店	新宿駅東口
模索舎	新宿２丁目
芳林堂書店高田馬場店	高田馬場駅前
オリオン書房ルミネ立川店	ルミネ立川８階

●神奈川県

有隣堂本店	横浜伊勢佐木町
有隣堂横浜駅西口店	ジョイナスB1階
有隣堂アトレ川崎店	アトレ川崎４階

●群馬県

煥乎堂本店	前橋市本町

●茨城県

やまな書店	水戸市大工町

●北陸地方

金沢大学生協	金沢市角間
うつのみや金沢香林坊店	香林坊東急スクエア
うつのみや金沢百番街店	金沢駅Rinto

●東海地方

MARUZEN＆ジュンク堂書店新静岡店	新静岡セノバ５階
ジュンク堂書店名古屋店	名駅３丁目
MARUZEN名古屋本店	栄丸善ビル３階
ウニタ書店	名古屋市今池
三洋堂書店いりなか店	名古屋市いりなか
愛知大学生協	豊橋市

●関西地方

丸善京都本店	京都BAL地下１階
ジュンク堂書店大阪本店	堂島アバンザ３階
大阪経済大学生協	東淀川区
関西大学生協	吹田市

●九州地方

福岡金文堂本店	福岡市新天町
金修堂書店本店	福岡市草香江
宗文堂	門司区栄町
ジュンク堂書店鹿児島店	鹿児島市呉服町

●沖縄県

ジュンク堂書店那覇店	那覇市牧志
ブックスじのん	宜野湾市真栄原
朝野書房沖国大店	宜野湾市宜野湾
宮脇書店宜野湾店	宜野湾市上原
宮脇書店美里店	沖縄市美原
宮脇書店名護店	名護市宮里

（2024.10現在）

◎『解放』掲載の主要な論文や記事の一部をホームページで紹介しています。
革マル派公式サイト　http://www.jrcl.org/　E-mail jrcl@jrcl.org
◎ 解放社の出版物はＫＫ書房でも扱っています。
TEL03-5292-1210　http://www.kk-shobo.co.jp/　E-mail info@kk-shobo.co.jp

略)」(二八六～二八七頁)

二四春闘を戦闘的に高揚させるために、こうしたことについても論議をまきおこし、職場から闘争態勢をつくりだしていこうではないか。

交運職場での闘い

突然ですがここで、交運の職場について少し話したいと思います。五年間先延ばしされていた残業時間の上限規制などを設定した労働諸法制の改定が、この四月から交通運輸職場にも適用されます。「二〇二四年問題」と言われていますが、バス運転労働にかんしては、年間労働時間の上限が九六〇時間とされるとともに、「勤務間インターバル」(退勤から翌日の出勤までの「休息時間」)が一時間ほど延長されたりするというものです。労働者にとってはなんら長時間労働の解消になりません。しかしバス経営者どもは、「運転手がさらに不足する」とがなりたて、労働者にさらなる犠牲を強要しています。詳しいことは略します。

バス職場には「二割の壁」といわれるものがあります。他産業よりも賃金が二割低く(年収で約一〇〇万円の差)、労働時間が二割長いという「壁」です。バス職場の労働者は超低賃金のために残業代なしには生活できない。人口減少、テレ・ワークによって乗客数はコロナ前には戻らない。公営・民営を問わず経営者は、「効率性・生産性を維持・向上」するために、一日の運行本数を減らす減便や路線廃止に手を染めている。労働者は労働強度を極限的に強化されている。採用された多くの労働者が、このような現実を知ると研修の段階で次々に辞めていく。それゆえつねに運転手・職員が不足している。こうして、労働者は三六協定を超える違法な労働を強いられることが常態化しているのだ。経営者は乗車効率を高めるために、少なくなった運転手を酷使して、減便したダイヤで多くの乗客を運ばせている。減便すると、ラッシュ時には乗りきれない乗客がバス停にあふれる。出社時刻に遅れて苛立つ乗客からの嫌がらせや苦情も絶えない。運転手や窓口の事務員は精神的にも追いつめられています。バス停にあふれた乗客の扱いをめぐって〝なぜもっと乗せないのか〟という運転手同士の諍(いさか)いも日常的に起きている。こうしたことが積み重なって、交通労働者の精神疾患もが急増しているのだ。

しかし私鉄総連や自治労都市交評のダラ幹どもは、「魅力ある産業」とか「公営交通の維持発展」を経営者や公営交通当局とともに実現することを運動方針にしている。彼らは「効率性・生産性の向上」への協力を労働者に強いているのだ。私鉄総連指導部は、「連合」の要求をわずかに上回る賃上げ一万四六〇〇円を要求しているにすぎない。

われわれは、労働組合が「運賃値上げ」を要求していることの問題を職場では論議している。──「賃上げ原資」を増やすために運賃値上げを要求するのは、大衆収奪の強化を求めるものではないか、と。これは賃金を「パイの分け前」と考えているからだ、と。経営者は収益が増えても賃金を上げようとはしない。「原資」がないから賃上げが実現しないのではない。賃上げ闘争の弱さの問題、賃上げは労働者の実力でかちとる以外にないのだ、と。

〝運賃値上げを〟という組合指導部の提起に隠されている問題をも掘り下げていかなければならない。このような問題をもめぐってわがたたかう仲間たちは、組合員との粘り強い論議を積み重ね、彼らをたたかう労働者として組織化するために寸暇を惜しまず奮闘しています。

Ⅱ　〝物価値上げ促進〟運動に春闘を歪曲する「連合」指導部

二月一日の経団連との「トップ会談」において、「連合」会長・芳野は、今春闘を「価格転嫁」のための「労使共闘」として推進することを前面におしだした。マスコミからも「異例の労使共闘」などと言われるほど独占資本家どもと〝一体化〟した姿をさらけだしたのだ。

芳野はほざく、「物やサービスは安ければ安いほど良いというものではない」、「私たち労働者も一方では消費者であり生活者であり、一人ひとりのマインドを変えていくことが重要である」と。インフレに苦しむ労働者・人民にたいして、「デフレ・マインド」つまり〝安い方がいい〟〝節約しよう〟などという考えを捨てて、物価値上げを喜んで受け入れよ、と説教をたれているのだ。そして、経団連会長・十倉らに「大企業は社会的視座をもって能動的に価格転嫁を進めていただきたい」、つまり大企業が率先して商品価格をつり上げ日本経済のデフレ脱却を進めてほしい、とまで進言したのである。

いまや芳野は、「企業が発展し、利益を出してはじめて私たちの処遇を上げることができる」のであって「労使関係」は「運命共同体」だ、とまで公言しはじめている。まさに、ネオ産業報国会の頭目としての本性をむきだしにしているのが「連合」会長・芳野なのである。こうした「連合」指導部の〝春闘破壊〟とでもいうべき歪曲に抗して、二四春闘の戦闘的高揚をなんとしてもつくりだすのでなければならない。そうした闘いのために、「連合」指導部の二四春闘方針とその理論的基礎づけの反労働者性のポイントをいくつか確認したい。

まず、「連合」指導部は二四春闘方針として、「三％以上の賃上げ」などという実質賃金の低下にしかならない超低率の要求を掲げている。このことの反労働者性である。

いま生活必需品や公共料金を中心に二〇～三〇％の物価高騰が続いているというのがわれわれ労働者がおかれている現実です。非正規、高齢者、ひとり親家庭などの労働者ほど、この物価高騰に追いつめられている。こうした労働者・人民の現実などまったく気にならないのが「連合」労働貴族なのだ。

彼らの頭を占めているのは、昨二三春闘において「三十年ぶりの賃上げ水準」を実現した、この「賃上げの流れ」を持続し、「賃金も物価も経済も安定的に上昇する経済社会へとステージ転換をはかる」ということである。そのためには労働者の七割を占める中小企業に賃上げを波及させなければならない、そのためには中小企業が賃上げの原資を確保できるように、「価格転嫁」つまり中小企業の製品やサービスの価格引き上げをできるようにする必要がある、というわけなのである。

この場合に彼らは、当初は、大企業は下請け中小企業の納入価格引き上げを認めるようにすべき、ということをおしだしていた。しかし、いまや「社会全体」で価格引き上げを認めること、大企業も中小企業も商品価格引き上げを積極的に進め、デフレ脱却をはかるべきだ、労働者は「デフレマインド」を捨てて物価値上げを積極的に受け入れよ、という主張を前面化しているのだ。

そもそも、独占資本家や岸田政権に呼応して「去年の春闘では三十年ぶりの賃上げ水準を実現した」などとおしだすこと自体が犯罪的ではないか。賃金が上がったといっても政府の統計でさえ昨年の実質賃金はマイナス（前年比二・五％減）、二年連続で減少しているのだ。しかも「三十年ぶりの高い賃上げ率」といっても、ほとんどの労働者についてはわずかに上がったかまったく上がっていないのである。この三十年間、バブル経済崩壊をのりきるためにリストラを強行し賃金を抑制・切り下げつづけてきた独占資本家ども、彼らが、事業のデジタル化・脱炭素化などを進める必要に迫られ、また岸田政権による莫大な国家資金を投入した半導体や軍需産業の育成の動きに色めきたって、これらの事業展開に必要な技術労働者や若手幹部候補の確保・奪い合いをくりひろげ、それら一部の労働者の賃金を引き上げたというだけのことなのだ。また、とりわけ低賃金で労働者をこき使っている飲食・宿泊・交通運輸などの経営者が、――コロナ感染拡大のもとで人員削減とさらなる賃金切り下げを強行してきたのであるが――コロナ感染症の「5類移行」にともなって回復してきた需要に対応するために、あわてて低賃金労働者の確保にのりだし時給をわずかばかり引き上げたりしているということ。これらが「三十年ぶりの賃上げ」の内実ではないか。これを「賃上げの流れ」などともちあげ、この流れを続けようなどというのは、大多数の労働者にたいして、低賃金で酷使されることに甘んじろ、それを抜け出して賃金を上げたければ、いま独占資本家どもが必要としているデジタル技術などを自分の責任でリスキリングして身につけ転職をはかれ、と恫喝している以外のなにものでもないではないか。まさに、岸田政権と独占資本家どもが唱える「構造的賃上げ」を、労働者の代表づらをして労働者に積極的に受け入れさせようとしているのが「連合」芳野指導部なのだ。

いま階級分裂を基礎にした貧富の差がますます拡大している。労働者階級の内部においても、ほんの一部の技術労働者などが高所得を得る他方で、かつての中間層が崩壊して低所得層へと突き落とされ、四割に増大した非正規雇用労働者を中心にして低賃金労働者がいよいよ増大している。「連合」指導部が政府や経団連とともに唱えている「賃上げの流れ」などというのは、こうした現実を肯定し美化して、労働者の二極化・貧富の差の拡大をさらに進める宣言以外のなにものでもないのである。

そして、こうした反労働者的な主張を正当化するために「連合」指導部が掲げているのが、「賃金も物価も経済も安定的に上昇する経済社会」をめざすという看板である。これは、岸田政権や経団連、そして日銀までもがさかんに吹聴している「賃金と物価の好循環」とか「成長と分配の好循環」とかと同じ考えである。その本質は、――岸田政権と独占資本家どもによる物価つり上げとセットになった賃金抑制攻撃および転職の勧めというかたちをとったリストラ・退職強要の攻撃、これらを貫徹し正当化するための理論的粉飾であり屁理屈にほかならない。

政府・独占資本家どもはいま、経済のデジタル化・脱炭素化を軸にした産業構造・事業構造への転換を、半導体や軍需産業の育成・拡大、武器輸出の全面推進とも結びつけながら策し、労働者に一大攻撃をかけてきている。まさに、この攻撃への屈服を労働者にうながすためにこそ、「連合」芳野指導部は、「賃金も物価も経済も安定的に上昇する経済社会」をめざす、などという看板を掲げおしだしているのだ。

Ⅲ　大幅一律賃上げ獲得めざし二四春闘を戦闘的に闘おう

すべてのたたかう労働者諸君！　能登半島で発生した大地震によって被災した労働者・人民は、いまだに酷寒のなかで苦難を強いられている。被災人民を見殺しにしている人非人・岸田自民党政権を打倒しよう！

独占ブルジョアどもは、「連合」労働貴族を抱きこみつつ、大多数の労働者に賃上げの抑制と賃下げを強制している。さらに解雇・転籍、労働強化などあらゆる犠牲を労働者に押しつけている。「三％以上」という超低率の「目安」で傘下諸労組に賃上げ要求の自制を迫る「連合」労働貴族を許すな！　岸田政権への賃上げ支援要請に闘いを歪める「全労連」指導部を弾劾し、大幅一律の賃上げ獲得をめざして、二四春闘の戦闘的高揚をかちとろう！

この「大幅一律賃上げ獲得」というスローガンは、賃上げ「自制」要求を掲げるだけの「連合」など既成労働運動指導部による春闘の歪曲をのりこえていくための、われわれに独自な闘争＝組織戦術を集約的にあらわすスローガンである。

このスローガンをわれわれは、各産別・各労組・職場の特殊性・個別性にふまえて、組合の要求として具体化しなければならない。

同時にこのスローガンは、春闘をたたかうなかで、労働者が階級的に自覚し団結していくためのものでもあります。われわれは、春闘方針をめぐる論議をつうじて、労働者に賃金闘争への決起をうながし、同時に「賃金闘争とは何か」、「賃金とは何か」「労働者とはいかなる存在なのか」という問題を考え、階級的自覚を獲得する契機をつくりだそう。

独占資本家が事業・企業再編の名のもとに強行している、配転・転籍・首切り攻撃に反対しよう！　大企業からの選別淘汰の圧力を受けた中小企業経営者による労働者への犠牲転嫁を許すな！

独占諸資本による諸商品の物価値上げ反対！　政府による公共料金の値上げ反対！　社会保険料引き上げ・自己負担増反対！　「軍拡大増税」を許すな！　経済の軍事化反対！　これらの諸闘争を、賃上げ闘争と同時に推進しよう。

プーチン・ロシアのウクライナ侵略反対！　イスラエル・ネタニヤフ政権によるパレスチナ人民のジェノサイドを許すな！

ともにたたかおう！

大軍拡・憲法改悪阻止！大増税・社会保障切り捨て反対！
反動岸田政権を打倒しよう
――2・11労働者怒りの総決起集会　第二基調報告――

冬木加津

結集された労働者のみなさん！

岸田政権はいま、大軍拡と憲法改悪、社会保障切り捨てなど、歴史を画する反動的な攻撃を次々と振り下ろしています。このようなことが許されているのは、反対運動があまりにも弱い、国会や首相官邸を包囲するような闘いがほとんど創りだされていないがゆえにほかなりません。「連合」指導部も日本共産党の指導部もなんら闘いを創りだそうともしていないのだからです。

私は、この現実をなんとしても覆していきたい、と決意をうち固めています。岸田政権による安保強化と大軍拡、憲法改悪を打ち砕く闘いを、私たちの総力で創りだしましょう。ガザ人民にたいするイスラエル・ネタニヤフ政権の大虐殺を許すな！　プーチンの残虐な侵略戦争に抗してたたかうウクライナの人民と連帯し、この日本の地からウクライナ反戦の闘いを創造していこう。

すべてのみなさん！　反人民性をあらわにする岸田政権を、今こそ打倒しようではありませんか！

岸田政権による空前の大軍拡・安保強化と改憲を許すな！

能登半島地震が発生した直後から、首相・岸田は、自衛隊の大型ヘリコプターを能登現地に投入しようともしなかった。道路が通れなくなっているなかで、被災した人びとに水や食料や医薬品を送り届けるためには、それが絶対に必要であったにもかかわらず。なんと岸田は、これらのヘリコプターの多くを、一月七日には千葉県・習志野演習場でのアメリカ軍などとの合同演習に参加させていたのです。戦争準備のための軍事演習を優先し、被災人民を見殺しにしたのが、岸田政権なのです。

しかも、被災地の過酷な状況がつづくまっただなかの一月十日に、岸田政権は沖縄の辺野古・大浦湾の埋め立て工事の着工を強行しました。沖縄県当局の抵抗にたいして、これまで一度も使われたことがなかった「代執行」という強権を発動して、です。労働者・人民にいったいどれほどの犠牲を押しつけるのか、本当に許せません。――もちろん、ここに結集した仲間を先頭に、沖縄の労働者・学生はただちに反撃に起ちあがっています。

岸田政権は、二〇二四年度予算案に過去最大の八兆円もの軍事予算を計上しています。二三年度～二七年度の五年間で、四三兆円です。しかも円安や物価高がつづくなかで、この額はさらに膨れあがるにちがいありません。

彼らは、中国や北朝鮮のミサイル基地や政府中枢を先制的に攻撃できる体制をつくることに必死になっています。そのために、アメリカ軍がイラクやアフガニスタンへの侵略で何万人もの人民を殺害した「トマホーク」などの長射程のミサイルを大量に購入し、沖縄・南西諸島などに配備しようとしています。この自衛隊ミサイル部隊や、水陸両用部隊いわゆる日本版の海兵隊、また空挺部隊などの「殴り込み部隊」を増強しています。これらをアメリカ軍とともに作戦行動ができる軍隊として強化するために、共同軍事演習を積み重ねているのです。

現在、中国の習近平政権は、台湾を併合することをもくろんで台湾周辺での軍事行動を飛躍的に強化しています。これにたいしてアメリカ・バイデン政権は、日本やオーストラリアなどを動員して、中国にたいする軍事包囲網を構築しています。アメリカ・日本と中国の政治的・軍事的角逐が一段と激烈化しているのです。

また、北朝鮮の金正恩政権は、韓国を「第一の敵国」と名指しして、核兵器およびミサイルの開発・配備に躍起となっている。これにたいして韓国の尹錫悦（ユンソンニョル）政権は、アメリカにつき従って核戦争をおこなう体制を構築し強化しています。ここ東アジアで核戦争が勃発する危機が急激に高まっているのです。

没落しつつある軍国主義帝国アメリカのバイデン政権は、中国・北朝鮮・ロシアに対抗するために、アジアにおける最大の同盟国である日本の岸田政権に軍事的分担の拡大を迫っている。このバイデン政権の要求を〝渡りに舟〟とばかりに受けいれ、大軍拡と日米共同の戦争遂行体制の構築に突き進んでいるのが、安保の鎖につながれた日本の岸田政権にほかなりません。これまで政府が建て前としておしだしてきた「専守防衛」をかなぐり捨て、「自衛隊」という名の日本国軍が、日本の民間業者や労働者・人民を総動員して、中国にたいする戦争の最前線で戦うということなのです。

能登大地震をも利用した支配体制の強権的強化

一月三十日の国会での施政方針演説において岸田は、「総裁任期中に憲法改正を実現したい」と言い放ちました。改憲を叫びたてている「維新の会」や国民民主党を従えて、今国会中に改憲発議することを企んでいるのです。日本を文字どおりアメリカとともに戦争のできる国とするために、「交戦権の否定・戦力不保持」を明記した第九条を無きものとし、内閣が国会を無視して強権を振るうことを定める「緊急事態条項」なるものを新設しようとしている。「戦争をやれる国づくり」と、それを支えるネオ・ファシズム支配体制強化の総仕上げをはかるものにほかなりません。

さらに、今国会で政府は、地方自治法の改定を強行しようとしています。これは、「地方自治」を完全に形骸化させ、地方自治体を国＝中央政府の完全な統制のもとに置こうとするものです。政治支配体制をファシズム的に、強権的に強化しようとしているのです。

能登地震への対応において、岸田政権は「プッシュ型支援」なるものを得意げにおしだしました。被災民にたいして支援物資をスピーディーに送るというふれこみですが、実際には送った物資は金沢などの倉庫に山積みになっています。届いた物資を配分し輸送をとりしきる職員、需要がどこにあるか、道路事情はどうなっているかなど、地元の事情を熟知した自治体職員が決定的に不足しているのです。これは、自民党政府がこのかん、自治体の合併やいわゆる「デジタル化」をおしすすめ、極限まで人員を削減してきたことの結果なのです。

岸田が「プッシュ型」にこだわるのは、国が各自治体の意向を無視して、上から強権的に政策の遂行を押しつけるという実績をつくるためでもあるのです。大震災という災厄をも利用して、政治支配体制の強権的・ファシズム的強化をはかろうとしているのが、岸田政権なのです。

さらにこの場を借りて、自治体労働者としてどうしても訴えたいのが、上下水道のことです。

いま、地震発生から四十日が経っても、奥能登地域や七尾市では、なおほとんどの世帯が断水しトイレも使用できないままで、仮復旧の目途さえたっていません。歴代自民党政権の圧力のもとで、各自治体当局が上下水道事業の業務委託や民営化をおしすすめ、大幅な人員が削減され現場力を喪失してきたからです。現地の自治体では、技術の伝承も途切れ、配管の台帳も整理されておらず、点検や修繕をおこなう体制もないのです。そのために、全国の自治体から派遣された水道労働者が、なんとしても早期に復旧するために、現地の労働者とともに不眠不休で奮闘しているのです。

岸田政権による日米軍事同盟強化・軍事強国化反対！　改憲策動を許すな！　ネオ・ファシズム支配体制の強化を打ち砕こう！

大軍拡の財源を確保するために、岸田政権は大衆収奪を一挙に強化しています。何よりも軍拡のために所得税などの大増税を振り下ろす時期を虎視眈々と窺（うかが）っています。年金給付額の切り下げや社会保険料の増額など、社会保障の切り捨ても強行していきます。悪辣にも、「子育て支援のため」と称して、労働者が毎月支払っている健康保険料に「支援金」なるものを上のせ徴収しようとさえしているのです。そして電気・ガス料金など公共料金の相次ぐ引き上げと、次々に労働者・人民に負担を押しつけています。

岸田政権による、大軍拡と一体の大衆収奪強化を絶対に許すな！

ガザ人民虐殺弾劾！　プーチンのウクライナ侵略を許すな！

イスラエルのネタニヤフ政権は、パレスチナ解放闘争の拠点となってきたガザ地区そのものを一気に叩きつぶし抹殺するために、ハマスもろともにパレスチナ人民を皆殺しにしようとしています。子どもも女性も無差別に虐殺し、住居も病院も学校も、生きるために不可欠なインフラも根こそぎ破壊する、暴虐のかぎりを尽くしているのがネタニヤフ政権です。この世紀の蛮行＝ジェノサイドを絶対に許すな！

このイスラエルを全面的に支持しているのが、アメリカのバイデン政権です。彼らは、パレスチナ人民の支援に当たっている国連機関ＵＮＲＷＡへの資金の供出すら打ち切りました。これにただちにつき従ったのが、日本の岸田政権です。ガザ・パレスチナ人民は飢えて死ねとでもいうのでしょうか。ガザ人民虐殺を支えるバイデン政権、これに追随する岸田政権を弾劾しよう！

プーチンのロシアによるウクライナ侵略の開始からまもなく二年になります。侵略者どもにたいして不屈にたたかってきたウクライナの労働者・人民は、いま大きな困難に直面しています。アメリカは、「イスラエル支援」を口実にして、ウクライナへの支援を縮小し、また打ち切ろうとさえしているのです。これを見こしてプーチンは、都市や工場などへの攻撃をエスカレートし、さらに多くのウクライナ人民を虐殺しています。

殺人鬼プーチンは、「ウクライナを非ナチス化する」と言い放ちました。これは、キーウの政権をぶち壊し、ウクライナをロシアの「属国」とする意思をムキダシにしたものにほかなりません。現にプーチンは、占領地のウクライナ人民を「ロシア兵」として徴兵し、同胞どうしで戦わせようとしています。子どもをロシア本国に連れ去り、養子縁組し、徹底的に洗脳して「ロシア人化」しようとしています。彼らをも、将来は徴兵の対象とする腹づもりなのです。

プーチンは、この侵略戦争を、第二次大戦のときのソ連の専制権力者スターリンの「大祖国戦争」になぞらえている。崩壊したソ連邦の版図をとり戻そうという野望をムキダシにしているのです。ウクライナ侵略者プーチンは、スターリンの「末裔」にほかなりません。ウクライナへの侵略戦争・人民虐殺の反人民的蛮行を、スターリンをもちあげ賛美して正当化しつつ、なおも強行しているプーチンを徹底的に弾劾しよう。

ところで労働戦線においては、自治労や日教組などに一部残っているかつて社会党の「左派」であったダラ幹などが、「ＮＡＴＯの東方拡大が問題だ」とか「アメリカのほうが悪い」とかと語り、侵略者プーチンを免罪し擁護してきました。彼らは、労組としてウクライナ反戦にとりくむことをことごとく妨害してきたのです。この連中は、一九九一年にソ連が崩壊してから三十数年の今日においてもなお、「社会主義ソ連」なるものへのノスタルジアを抱いて、現在のロシアを、アメリカなどよりはまだ良いものという幻想にとらわれているのです。

けれども、崩壊しさったソ連邦は、「社会主義」

などではまったくありません。ロシアの労働者・人民は一九一七年に、世界で初めてのプロレタリア革命を実現しました。だがスターリンとその一派は、この革命ロシアを変質させ、窮乏と血の弾圧を強制して何千万人ものソ連人民を死に追いやったのです。全世界の階級闘争をソ連国家の利害に従属させて変質させ、おびただしい害毒を撒き散らしてきたのが、スターリンを筆頭とする旧ソ連の支配者どもなのです。ウクライナ問題に対決するためには、このスターリン主義の問題を考えることが絶対に必要なのです。

プーチンの侵略と不屈にたたかうウクライナの人びとと連帯して、この日本の地からウクライナ侵略反対の闘いを大きく創りだしていこうではありませんか。

「連合」指導部、日共指導部の闘争放棄を弾劾し闘おう！

いままさに、岸田政権によって大軍拡・改憲という画歴史的な一大攻撃がかけられています。にもかかわらず「連合」指導部や日本共産党の中央指導部は、これに反対する闘いを、とりわけ労働戦線からはまったくといっていいほど創りだそうとしていません。

震災のさなかに、新年会に岸田を招いて手を取りあっていた会長・芳野ら「連合」の指導部は、この大軍拡にたいしても改憲にたいしても、何ひとつ問題にしていません。それどころか彼らは、軍事費の対GDP比二％への大増額をうちだした岸田政権のいわゆる「安保三文書」を絶賛してきたのです。

「連合」指導部を支える右派労働貴族、なかでも基幹労連の労働貴族は軍需生産の拡大を公然と要求し、電力総連や電機連合などの労働貴族は原子力発電所をもっと早く再稼働せよとか・新増設せよとかと、政府を強硬に突きあげているほどです。しかも芳野指導部は、「連合」傘下の労組が反戦や反基地の闘いにとりくむことを徹底的に抑圧しているのです。

かつては曲がりなりにも平和運動をつくっていた自治労や日教組など旧総評系労組のダラ幹たちもま

た、今このときに、反戦平和の運動の組織化を完全に放棄しています。「総がかり行動」などの国会前行動にも、彼らは顔を出そうともしていないのです。軍備増強や憲法改悪に反対する意思もバネも彼らは失っているのです。

日本共産党中央や、彼らに指導された「全労連」の幹部たちの犯罪性は、より重大です。二〇一五年の「戦争法反対」の闘いのときに比べても、彼らは反戦・反安保の大衆的闘いにまったくとりくんでいないのです。彼ら共産党の人たちは、「議長」としてなお君臨している志位や、新たに「委員長」におしだされた田村など党の幹部連中の国会質問や演説を、ビラ撒きなどで宣伝することに、「平和のとりくみ」をいっさい解消しているのです。選挙での相次ぐ後退をなんとしてもくいとめることだけが、彼らの関心事であるからにほかなりません。

能天気なことに彼らは、岸田政権にたいして「東アジアに平和をつくる外交ビジョン」という共産党の外交政策を採用するようにお願いしています。なんと、ＡＳＥＡＮ＝東南アジア諸国連合を「平和の共同体」と天までもちあげています。これを見本として、中国や北朝鮮などと日本とのあいだに「対話の慣習を根づかせよう」などと大まじめに提唱しているのです。〔ちなみにＡＳＥＡＮには、人民に血の弾圧を振り下ろしている、あのミャンマー軍事政権などが含まれているのです。〕

全世界いたるところでアメリカと中国・ロシアとが激烈に抗争している今日の世界の現実。――権力者どうしでおしゃべりしさえすれば「平和になる」などという彼らの「提案」は、「平和ボケ」にもほどがあるというものではありませんか。いま、岸田政権の大軍拡と改憲への突進をまえにして、「新たな戦前」と言われるなど、多くの労働者・人民が戦争が迫っているという危機感を高めています。だがこのときに、彼ら労働者・人民を権力者の軍備拡張・戦争準備に反対する大衆的な闘いに組織することをハナから否定するのが、共産党の官僚どものそのような主張にほかなりません。それは、労働者・人民を政府の戦争政策のまえに武装解除し、敗北に導く大犯罪以外のなにものでもありません。

この戦争の危機を突き破る道は、労働者・人民の反戦・反安保、改憲阻止の大衆的闘いを燃えあがらせ、アメリカや中国などの労働者・人民との国境を越えた連帯をつくっていく以外にありません。

三年目を迎えようとしているウクライナ侵略にたいしても、「連合」指導部も日本共産党もいっさい大衆運動を創りだそうともしていない。共産党のばあいは、党の内部にプーチンを擁護する連中が存在し、他方で私たちのウクライナ反戦の闘いに揺さぶられてロシアのウクライナ侵略に反対してたたかおうと主張する部分が生みだされ、内部の対立が激化している。それゆえに、志位や田村らは、党が分解してしまうことを恐れて、ウクライナ問題を語ることからさえ、ひたすら逃げ回っているのです。だがこれは、侵略者プーチンを免罪し、プーチンの侵略にたいして必死に反撃するウクライナの人民を見殺しにする以外のなにものでもありません。まったく許せません。

ここに結集している私たちは、全学連のたたかう学生のみなさんとともに、このような「連合」や共産党などの既成の指導部の腐敗した対応を弾劾しのりこえ、労働組合の内部から、反戦・反安保、改憲阻止の闘いを創りだしてきました。「総がかり行動」や、「平和フォーラム」などの集会や行動を戦闘的に高揚させるために奮闘してきたのです。この地平にたって、さらに前進しようではありませんか。

震災への対応で反人民性をムキダシにし、安倍政権以来いっそう深められてきた政・官・財のどす黒い癒着にまみれてきた岸田ネオ・ファシズム政権を、今こそ労働者・学生の総力を結集して打倒しよう。

春闘のただなかで反戦の闘いを創りだそう!

ここで私は、私と仲間たちの所属する組合で、反戦の闘いを創りだすために奮闘してきたことを報告します。

私は、自治労連傘下の労働組合に所属しています。単組の執行部の主流は共産党系の組合員ですが、彼らは反戦の運動を創ろうともしていません。私たちは、この執行部を突きあげつつ、ウクライナ反戦、ガザ人民虐殺反対の闘いを下から創りだすために、頑張ってきました。

私たちは昨年秋以降、ネタニヤフ政権のガザ人民へのジェノサイドに反対の声をあげるために、分会からとりくんできました。ここで直面したのが、それまでウクライナ問題においては、侵略者プーチンへの怒りを鮮明に表明してきた組合役員のAさんが、「ガザの問題はどう考えていいか、分からない」と困惑して語ったことでした。ネタニヤフがガザ人民を、女性や子どもたちを次々と虐殺しているのをまえにして、彼女なら当然怒り弾劾の声をあげるにちがいないと、私たちは思っていたのだからです。だが彼女は、〝イスラエルはひどいが、ハマスの暴力もひどい〟と悩み、判断停止に陥っていたのでした。

仲間たちで、なぜ彼女は困惑しているのか、どう論議しようか、と話しあいました。私たちは、ウクライナの問題を考えるときに〝侵略しているのは誰であり、蹂躙されているのは誰なのか〟ということが肝腎なのだと先輩から教えてもらいました。そのことを武器に、Aさんの困惑を分析的にとらえかえしていきました。

商業新聞はいうまでもなく、共産党指導部もまた「暴力の連鎖」などと、イスラエルによるガザ人民への大量虐殺と、これへのガザ人民の必死の抵抗闘争とを、同列に並べて論じている。私たちと組合活動を共にしているAさんといえども、こうした考え方にとり囲まれ、影響を受けている。だから、私たち自身が共産党の考え方を批判し、これを武器にしてAさんとの論議を構想し、実現していったのです。

私たちは、テレビニュースの画像やユーチューブの動画を選び、これをAさんたちと共に見て、その感想を語りあいました。こうしてAさんに、イスラエルの建国がパレスチナ人民を父祖伝来の土地から暴力的に叩きだして実現されたことや、それ以降七十数年におよぶシオニスト政権の暴虐によってパレスチナ人民がいかに蹂躙されてきたかを論議してきたのです。あくまでも虐げられた人民の側にたって考えるべきことを促しつつです。

こうして、いままではAさんは、「自分がガザにいたら、パレスチナの人たちのようにたたかいたくなると思います」と発言するようになりました。パレスチナ人民を蹂躙しつづけてきたイスラエル権力者への怒りを、蹂躙されながらも不屈にたたかうパレスチナ人民への共感を、彼女のなかに育んできたのです。

私たちは、こうした職場でのとりくみを単組全体のものとしていくために、他の分会に資料を送って交流したり、上級機関の会議で報告して、共産党に影響されている役員や良心的な役員らを揺さぶったりしてきました。私たちは、Aさんと共に、反戦の闘いをわが単組から大きく創りだしていくために、さらに奮闘する決意です。

すべてのみなさん！　私たちたたかう労働者は、既成指導部の闘争放棄を弾劾し、今春闘のただなかで、岸田政権の大軍拡・改憲の攻撃に反対する闘いを断固として創りだし、さらに岸田政権の打倒に突き進もうではありませんか。ガザ人民虐殺反対の闘いを推進しよう。プーチンのウクライナ侵略を打ち破るために、不屈にたたかうウクライナ人民と連帯し、さらにたたかいぬこう。

すべての仲間たち、共にたたかおう！

二四郵政春闘の爆発を！

今こそ大幅一律賃上げをかちとれ

皆塚建夫

二〇二四年二月十九日、ＪＰ労組本部は各社経営陣に、①「賃金改善」②「労働力確保」③「環境整備」からなる二四春闘要求を提出した。だがその内実は、正社員の基準内賃金一万円の超低額の要求であり、かちとれたとしても実質的な賃下げを強いるものでしかない。本部は、人材確保に向けた初任賃金・若年層への重点配分を経営陣にお願いしている。これは郵政当局に協力するものであり、大多数の郵政労働者にはほんのわずかな配分を強いるものなのだ。組合員の「全体の賃上げにこだわれ」という意見を傲然と蹴飛ばし、組合員の生活よりも会社の施策の実現を優先した本部を弾劾せよ！　たたかう郵政労働者は、一般職と地域基幹職との統合や人材獲得のための労使協議に春闘を歪める本部を弾劾し・のりこえ∧大幅でかつ一律の賃上げ獲得∨めざして、断固たたかおう。

Ⅰ　賃金抑制に狂奔する経営陣と協力するＪＰ労組本部

日本郵政経営陣は、郵政労働者が狂乱的な物価高で貧窮にたたきこまれているにもかかわらず、一般職と若年層のわずかな見直しをするだけで、労働者全体の賃上げをやる気はまったくない。彼らは、郵便事業の赤字をことさらに叫びながら人件費と人員の削減に狂奔している。会社当局は「中期経営計画」(二〇二一年～二〇二五年)で掲げた三万五〇〇〇人の人員削減を無慈悲におしすすめ、この四年間でなんと四万三〇〇〇人を超える人員を情け容赦なく削減している。

日本郵便では、ヤマトとの「業務提携」(昨二〇二三年十月から)で取り扱う荷物が大幅に増えたにもかかわらず人員を補充するどころか、逆に三月末には二〇〇〇人の早期退職を強行実施する計画なのだ。しかも「雇用確保の取組み」などと称して、六十五歳の定年退職に達した労働者を七十歳まで働かせるために派遣社員として雇用替えし、時給を大幅に切り下げようというのだ。

郵便窓口事業では、一般職労働者の多くが離職し、その後補充もせず慢性的な人員不足を強いている。会社当局は、一定の地域内のエリア局(旧特定局)で人員を融通し合う要員配置を徹底化しているのだ。このような人員不補充、ゆうちょ・かんぽ渉外労働者のかんぽ生命への出向・転籍などによって窓口労働者をこの四年間で二万人近く削減し、人件費を一七七九億円も削減しているのである。その他方で、郵政経営陣は、ＩＴ化などのＤＸによる事業の改革・再構築のために莫大な資金を湯水のごとく注ぎこんでいる。

それだけでなく経営陣は集配部門では、業務再編を強行している。「新たな集配体制・ｒｅｉｗａスタイル」と称して二輪で郵便物を配達している集配労働者に小包の配達や集荷も担わせ、四輪で小包の配達や集荷業務をおこなっている労働者には配達箇所数の多いマンションなどの郵便配達をも担わせている。このように彼らは、労働者を勤務時間内に隙間なく働かせるだけでなく、超勤削減をも徹底し息つく暇もないほどの労働強化を強いている。窓口部門では、「窓口オペレーション改革」と称して窓口のすべての労働者に外回り営業や郵便の配達などすべての業務を担わせようとしている。このような事業改革・業務再編に対応して経営陣は、一般職と地域基幹職の統合を早期に実現しようとしている。現状では、低賃金の一般職労働者に地域基幹職と同じ業務で働かせようとすると不平・不満がたまり、離職者が続出している。経営陣はこれを桎梏と捉え、それを打開するために早期に一般職と地域基幹職との統合を、かつ総額人件費を削減するかたちで実施することを狙っているのだ。

こうした郵政経営陣による徹底した人員削減と賃金抑制攻撃が振り下ろされているなかで、JP労組本部は、経営陣に完全にとりこまれ〝事業危機〟を叫びながら、超低額要求をだしたのである。口では「物価上昇を上回る賃上げ」などと組合員を欺瞞しながら。それればかりではない。経営陣に呼応して、今春闘で「一般職と地域基幹職との統合を早期に実現していく」などと初めて要求書に明記し、全面協力しているのが本部労働貴族である。

本部は、昨二三春闘での低額妥結と夏期冬期休暇の売り渡しに、組合員から怒りや猛反発をうけたのであった。彼らは不満が噴出しないように「将来ビジョン」と銘打って組合員の意見集約をおこなってきた。この「将来ビジョン」なるものは、〝組合員の意見をなんでも聞きますよ〟という形式でおこなったものの、組合員の切実な声を受けとめたものではなんらない。あくまでも組合員に不満を言わせ、ガス抜きをし欺瞞するものなのだ。

本部は、会社の生産性向上の施策に利用できる一部の意見だけを「政策提言」としてとり入れ、これをもって経営陣との労使協議に埋没しているのである。

本部の春闘行動は、「春闘署名」などすべてが労使協議をバックアップするものに歪められている。「春闘署名」を「社長に一番知ってほしい」ことというように経営陣への「お願い運動」として各職場で実践させている。本部は、組合員を春闘に組織してたたかうことを完全に放棄しているのだ。

全国の革命的・戦闘的労働者は、JP労組本部の超低額要求を弾劾し大幅一律賃上げ獲得めざしてたたかっている。それればかりではなく、人員削減攻撃反対、極限的労働強化反対の闘いを創造するために、本部の「郵政事業の持続的発展」を柱とする会社に奉仕する運動をいかにのりこえたたかうのかの論議を、組合員とつくりだしている。われわれは、組合員との活発な論議をつうじて、彼らを二四春闘の戦闘的な担い手へと変革しつつ、二四春闘の戦闘的爆発をかちとるべく奮闘しているのである。

Ⅱ　郵政労働者を足蹴にする一万円の超低額要求弾劾！

JP労組本部がうちだしているおもな春闘要求と方針は次のとおり。①月例賃金は社員の基準内賃金一万円、一時金は四・五ヵ月、時給制契約社員は時給七十円引き上げの超低額要求、②一般職と地域基幹職との統合を早期に実現していくための一般職への配分、③人材確保に向けた初任賃金および若年層への重点的な配分、④「運動方針」は「署名」などで、本部交渉・労使協議をバックアップするというものである。

1　実質的な賃下げ要求

本部の要求の反労働者性の第一は、賃上げ要求が超低額だということである。口先では「物価高を上回る賃金改善」と言いながら、一万円要求とはあまりにも郵政労働者をバカにしている。郵政労働者が社会保障費の負担増や生活必需品の高騰のもとで、実質賃金が下がりつづけ生活苦を強いられているこのときに、さらに実質賃金の切り下げとなる要求なのだ。

組合員から「物価上昇がきつい、賃上げを」、「共稼ぎでも子供を産み育てることは厳しい」と低賃金への不満の声が噴出している。多くの郵政労働者は何年にもわたり低賃金に抑えこまれ、春闘のたびごとに実質賃金が下がりつづけているからだ。とりわけ、二〇一五年の新人事給与制度が導入されて以降、本部の裏切りによって、ベースアップはわずかで、かつ一般職や若年層に重点的に配分してきたことのゆえに、多くの地域基幹職の労働者の賃金は据え置かれたままなのだ。五十五歳で定期昇給も停止され、低賃金のまま退職していくしかないのだ。このような組合員の現状を無視し蹴飛ばし低額要求をしたのが本部なのだ。弾劾せよ!

本部は、低賃金の非正規雇用労働者の賃上げについても、「正社員登用の拡大」と「地域別最低賃金」が引き上げられれば十分だ、と時給引き上げをかちとる気などない。

第二の問題は、組合員を欺瞞して全体の賃上げを放棄していることである。本部は正社員の全級・全号俸の賃上げを求めはした。だが、それは全国の組合員から「とことん全体の賃上げにこだわれ!」という猛烈な突き上げをうけ、無視できずに渋々掲げただけなのだ。あたかも一律で全体の賃上げをするかのように見せかけ誤魔化すためのものなのだ。本部の本音は、あくまでも経営陣の意向に沿った一般職と若年層への配分であって、多くの地域基幹職の労働者は我慢しろ、数百円程度でも上がればよいというものなのだ。

第三の問題は、賃上げ要求を「人材獲得のため」と基礎づけていることである。「連合」が超低率「五%以上」の指標を示すなかで、多くの産別労組が「連合」の指標を超える一律三万円要求や一〇%のベースアップ要求をだしている。だが本部は、「連合」の指標に沿った超低額要求をだしたのである。「人材獲得」のためには初任賃金を見直すしかないと考えている経営陣に応えて、本部は組合員のためではなく、あくまでも経営陣に協力するために人材獲得などと基礎づけたのである。

第四の問題は、一般職と地域基幹職との統合のために賃上げを位置づけていることである。本部の賃上げ要求のなかに「一般職と地域基幹職との統合を早期に実現していくため」と位置づけたのがそれである。

本部の目的は、組合員の賃上げよりも一般職と地域基幹職との統合を優先することだ。しかも彼らは、「あるべき賃金カーブの定期昇給のピッチは狭まっていく」などと公言している。これこそ低賃金への固定化=低位平準化ではないのか。本部の言う「賃金水準を引き下げずに統合を実現する」なるものは、地域基幹職の賃金を低位に据え置く欺瞞的な言辞にほかならない。まさに本部は、一般職と地域基幹職の統合に向けた道筋をつけ、人事給与制度改悪の地ならしをしているのだ。

さらに本部は、住居手当の剥奪も容認しようとしている。経営陣につき従い組合員を欺瞞し賃上げを一般職と地域基幹職との統合に歪曲する本部を弾劾せよ！

一般職の労働者は、低賃金で生活が苦しいなかで、郵政経営陣によって地域基幹職と分断され、地域基幹職へのコース転換をエサに競争を強いられている。このような一般職制度を抜本的に見直すのではなく、地域基幹職との統合によって賃金カーブがほぼ水平の一生涯賃金の上がらない新たな賃金体系に移行させようとしているのが経営陣なのだ。結婚し子供を産み育てる養育・教育費、住宅ローンなどがかさむなかで、生涯低賃金で退職手当も低くなり、退職後の年金支給額も低く抑えられる。これでは七十歳までどころか生涯働けということではないか。このような人事給与制度の改悪を絶対に許してはならない！

2　賃金闘争を歪曲する本部を許すな

第五の問題は、春闘に組合員をまったく組織していないことである。本部は春闘行動として支部・分会にたいして労使協議のバックアップのための「春闘署名」を要請している。しかし、春闘署名の「ひと言欄」には、「社長に一番知ってほしい」ことを記入しろと限定までつけている。本部は、経営陣への「お願い」に組合員を組織化しているのだ。賃労働者と資本家の階級対立を鮮明にして組合員の団結を強化し賃上げ闘争をたたかうのではなく、資本家の下僕となり郵政事業を支える社員としてふるまえ！　こう本部は言いたいのだ！　身も心も会社に忠誠を誓えというのだ！

「賃金闘争とは、みずからの労働力を商品として販売することなしには生存できない労働者たちが――労働組合を組織的根拠として――商品としての自己の労働力をより高く雇用主である資本家どもに売りつけるための闘いであり、経済闘争としての労働運動である。……賃上げをめぐる闘争は、賃労働者と資本家との、労働組合という団結形態をとった労働者階級と経営者団体として連合した資本家階級との、相互に自己の権利と主張を貫徹しあう闘いであって、その本性は非和解的である。」（黒田寛一『賃金論入門』こぶし書房刊、一五四頁、「Ｖ賃金闘争の構造」）

夏期冬期休暇も削減され・低賃金を強いられている組合員から「ストライキでたたかえ！」と怒りの声が上がっている。だが本部はこの声を圧殺している。彼らは春闘交渉を組合員のための賃上げよりも、「ＪＰ労組が考える事業ビジョン案」をもって生産性向上策を提言し受け入れてもらうための労使協議（密室の）に没入しているのだ。

本部は、春闘行動として「組織拡大」をするよう組合役員にがなりたてている。脱退者が続出し組合員数が激減しているからである。そもそも賃金は上がらず、大切な休暇や手当など諸権利を投げ捨て、組合員を裏切りつづけ、組合員の団結や労働組合への帰属意識を弱め、組合離れを加速させてきたのが本部自身ではないのか。春闘に組合員を組織化することが絶対必要なのだ。

Ⅲ　大幅一律賃上げを獲得しよう！
大軍拡・憲法改悪に反対しよう！

たたかう郵政労働者のみなさん！　われわれは第一に、実質賃金の大幅な切り下げでしかない本部の超低額要求を弾劾し、〈大幅一律賃上げ獲得〉をめざしてたたかおう。生活必需品などの諸物価が上がりつづけ生活苦に悲鳴をあげている組合員の声を無視する本部を弾劾しよう。本部は、「全級・全号俸の賃上げ」を掲げてはいるが、決して「一律」ではなく、あくまでも「一般職の賃金カーブを地域基幹職1級に近づけていくため」であり、「初任賃金をはじめとした若年層への重点配分」をお願いしているだけなのだ。また、非正規雇用労働者にいたっては「二〇〇七年から昨年までの間に時給単価で三一七円上がっている……正社員のベースアップと比べると大きな賃金上昇」だとのたまい、「最低賃金制度」で上がるから十分だと、賃上げ要求を放棄しているのだ。

郵政のたたかう労働者は、本部の超低額要求の欺瞞性を暴きだし、いまこそ大幅かつ一律の賃上げをかちとろう。そして同時に超低額の一般職と非正規雇用労働者の抜本的な待遇改善をかちとろう! 一時金についても、経営陣の抑制攻撃をはね返し、大幅増額をかちとろう。

第二に、経営陣の人事給与制度の改悪に断固反対していくことである。本部は、「トータルでの新たな人事諸制度の構築を目指していく」(昨春闘での会社回答)に沿って、労組の側から人事給与制度の改革=改悪に全面協力している。彼らは、「一般職と地域基幹職1・2級の統合」に道筋をつけ、同時に「住居手当」の廃止を受け入れようとしている。賃金カーブをフラット化し低賃金に固定化することも容認しようとしているのが本部なのだ。彼らは、「事業の構造改革」と称して、たとえば郵便局窓口を隔日営業にし、そこで働く労働者を数局の郵便局を受け持つ配置にし、局外営業や集配業務を担わせるような提言をしている。本部は経営陣になりかわって、組合員にたいして事業の危機をあおりたてているのだ。

郵政のたたかう労働者は、低位平準化を策す「一般職と地域基幹職1・2級の統合」に反対しよう! 「住居手当」の廃止を許すな! 人事給与制度の改悪に断固反対しよう!

第三に、郵政経営陣による徹底した人員削減と労働強化に反対してたたかおう。

経営陣は、人員不足のなかでも退職者の後補充は一切おこなわず、そればかりか早期退職さえ実施して徹底的な人員削減を強行している。この極限的な人員不足のもとでヤマトとの「業務提携」をした経営陣は、昨年十月から「クロネコゆうパケット」の引き受けを順次開始し、今年二月には「クロネコゆうメール」(二五%増)の引き受けも開始した。経営陣は、郵便物が一挙に増加するにもかかわらず人員をいっさい増やさず、いやむしろ削減し、残った労働者をトコトンこき使い営業利益を生みだすために血眼になっている。

人員削減され人員不足の職場で労働者は、すべての配達区に人員が配置されない(欠区)状態のなかで、自分の受け持ち区だけでなく、他区他班までの配達を強いられたり、〝通し勤務〟と称する朝から夜までの勤務を強いられ、休憩・休息さえまともにとることもできず、昼食のおにぎりや菓子パンを頬張るだけで配達に駆りたてられているのだ。

このような組合員の現状に本部は、「適正な人員配置」「過不足調整」を言うだけで、むしろ「ＪＰ労組が考える事業ビジョン案」をもって労組の側から「新たな働き方やサービス」など人員削減につながる提言をしている始末なのだ。たたかう郵政労働者は、本部の全面協力を弾劾し・のりこえ郵政経営陣の人員削減攻撃を打ち砕き、労働強化に反対する闘いを職場からつくりだそう。

第四に、プーチンによるウクライナ侵略反対、ネタニヤフ政権によるガザ人民皆殺しに反対する闘いを強化しよう！

本部は、ウクライナ郵便労働者への支援カンパでお茶を濁しただけで、組合員をウクライナ反戦に組織化してはいない。イスラエルのネタニヤフ政権によるガザ人民への大量殺戮には「反対」のハの字もない。たたかう郵政労働者は、全世界の労働者・人民と連帯してウクライナ反戦、ガザ人民虐殺弾劾の闘いをたたかおう。

第五に岸田政権による大軍拡・憲法改悪に断固反対しよう！　岸田政権は、元日の能登半島大地震をも利用して「緊急事態条項」の創設を声高に叫び、なにがなんでも改憲を実現しようとしている。岸田政権による大軍拡・憲法改悪に反対する闘いを本部の無対応を弾劾し職場から創造しよう。岸田ネオ・ファシズム政権打倒めざしてたたかおう！

全国の郵政労働者のみなさん！　本部は、春闘行動として「社長」へお願いする「春闘署名」を指示しているだけで、職場討議も意見集約もいっさい組織化しようとしていない。本部は「労使運命共同体」思想に冒され、経営陣と生産性向上策や人員削減などの労使協議に専念し職場からの闘いを放棄しているのだ。

われわれ革命的・戦闘的労働者は、今春闘を「事業の持続性確保」のための労使協議に歪める本部を弾劾し・のりこえ大幅一律賃上げをかちとろう！　この闘いのただなかで労働組合の戦闘的強化をかちとろう！　もって郵政春闘の戦闘的爆発を実現しよう。

（二〇二四年三月一日）

能登半島地震　岸田政権の被災人民見殺しを許すな！

笠　舞　徹

　二〇二四年一月一日に発生した能登半島を震源域とする大地震によって、石川、富山、福井、新潟の各県の労働者・人民は、いまだその全容がつかめないほどの大惨事にたたきこまれている。しかも初動の遅れをはじめとして岸田政権の「救援」がまったくおざなりなものであったがゆえに、そしていまもそうであるがゆえに、被害はさらに拡大しているのだ。われわれは岸田政権の被災人民見殺しを満腔の怒りをこめて弾劾する。

　われわれは、亡くなられた方々に哀悼の意を表するとともに、いまも極寒のもとで助けあって生きぬいている被災人民を全力で支援しようと、すべての労働者・人民に呼びかける。危険きわまりない志賀原発をただちに廃炉にせよ！

救援の遅れによって拡大する被害

　今回の大地震は、奥能登を中心にした最大震度七（M７・６）のとてつもない規模の活断層型の地震であった。しかも震度七から五強の地震が、一月一日だけでも珠洲市から輪島市門前町にいたる一帯で、五度にわたって起きた。影響は石川県のみならず、富山、福井、新潟の各県にもおよぶ広域災害であった。その揺れによって、輪島市、珠洲市、穴水町、能登町を中心として木造家屋が九割がた倒壊し、その下敷きとなった住民たちが、救援の遅れのゆえに何日にもわたって放置され、多数が「圧死」に追いやられた。いまもそうである。

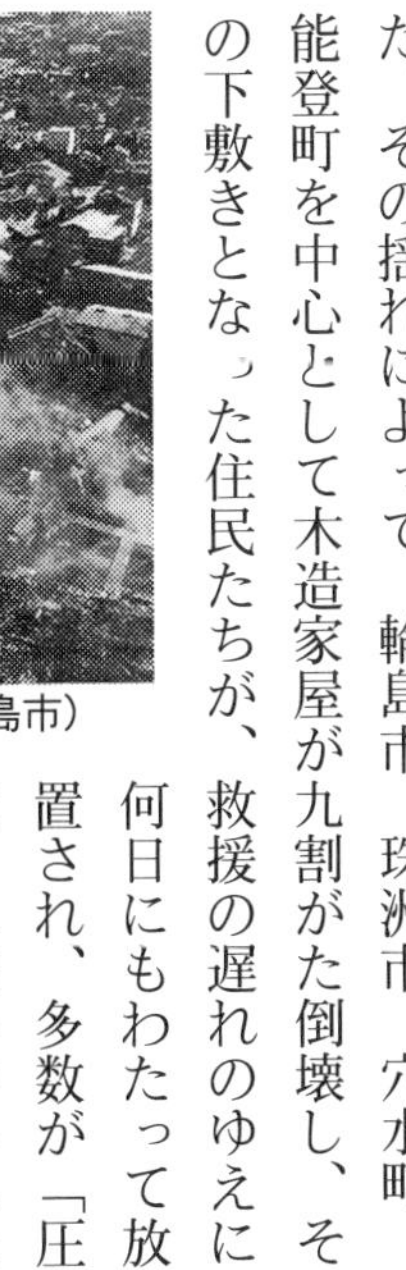
大火災が発生した「輪島朝市」（1月2日、輪島市）

のみならず、能登半島の東側の内浦地区をはじめとして最大四メートルの津波が押し寄せ、船や家屋に甚大な被害をもたらした。輪島市街地の「朝市通り」では、火災が発生し、二〇〇棟が焼け落ちるという大惨事となった。一月九日現在、死者は二〇二名、安否不明者は一〇二名にのぼる。

しかも、土砂崩れで国道二四九号線は寸断されて、多くの集落が孤立を余儀なくされ、被災民は、いまも支援を受けられずに寒さと飢えに苦しんでいる。ライフラインがズタズタに引き裂かれ、避難所に駆けこんだ約三万人の避難民や「自宅避難」を余儀なくされたり、孤立集落で自主避難所に身を寄せている人々は、断水と停電のなか、寒さにふるえながら救援を待ち望んでいるのだ。孤立しているのは、二十四地区三三〇〇名、避難者は二万八〇〇〇名におよぶ。

地震からすでに一週間以上もたっているのに、被災した人民の苦境はまったく改善されないどころか、地震による直接的な死者がつぎつぎと増えつづけ、安否不明者も増えつづけるというありさまなのだ。穴水町では、土砂崩れで埋もれた家屋に十名以上もの住民が生き埋めになっているということが六日に発覚し、やっと救助の手が入るという事態さえもが起きている（全員の死亡が確認された）。救援を求める電話がひっきりなしに市役所にかかるが、「手に負えないほどの量で、選択せざるをえなかった」という自治体労働者の悲痛な声もある。「平成の市町村合併」によって自治体職員が大幅に削減されたうえに、職員自身が被災者で出勤不可能者が多発しているのだ。

倒壊した家屋に生き埋めとなった家族を救い出すことができずに、ガレキの隙間から握った手がだんだんつめたくなっていくことに涙する、という悲痛な体験を語る母親もいる。「何で救援がこないんだ！　もう三日もたっているのにこのざまはなんだ」と顔を真っ赤にして怒りをぶつける父親もいる。そして、いま「災害関連死」が増えはじめているのだ。こうした人々は、まさしく岸田政権の人非人的な災害対応の犠牲者にほかならない。

今回の大震災をまえにしての岸田政権の被災人民見殺しを徹底的に弾劾しなければならない。

デタラメな初動

地震発生直後の岸田政権の対応は、まったく危機感のない、おざなりなものであった。

午後四時十分の地震発生後の五時十六分過ぎに岸田は、「災害対策相をトップとする特定災害対策本部（死者・安否不明者が数十人程度の場合につくられる）」を設置すると表明した。震災被害の大きさをハナから軽視していたのだ。その後に輪島市長や珠洲市長からの被害状況の報告を受けて、やっと午後十一時三十五分に首相・岸田文雄は「特定災害対策本部」から格上の「非常災害対策本部」の設置へと切り替えた。この時でさえ官邸内では「慎重にすべきだ」という意見すらも、つまり、「大げさだ」という声すらもでたと報道されている。

この岸田とそのとりまきどもが、「非常災害対策本部」の会合を開催したのは、翌二日の朝九時二十三分から四十六分のたった二十三分間であった。なんと危機感のない事態軽視の対応か！　この岸田政権のデタラメな初動対応が、助けられたはずの人民を死に追いやったのである。

岸田が「精力的に」やっていたのは、防災服を着てマスコミに対応することのみであった。被災現場では自治体職員や、消防隊員自身が被災して、まさに人手が決定的に足りない大変な状態におかれているにもかかわらず、だ。災害現場の人民の命など、岸田らにとっては二の次なのだ。

救援よりも軍事演習を優先

　二日の時点で、珠洲市長から「壊滅的な状況。命の危険にさらされている方の把握ができない」、三日には輪島市長から「陸路がすべて寸断されている。水、食糧、仮設トイレもない。電気がなくて暖もとれない。薬もない」と訴えられてはじめて、岸田政権は自衛隊の派遣人数を一〇〇〇人から二〇〇〇人へと増やした。四日の午前十一時になって自衛隊を二〇〇〇名から四六〇〇名に増やすことを岸田は表明した〔七日になって六一〇〇名に増員〕。二〇一六年の熊本大地震のときには、二日後に、自衛隊二万五〇〇〇名体制がとられた。これと比較しても、初動の遅さと救援体制の少なさは際だっているではないか。

　陸路が寸断されていることは一日の時点ですでにあきらかになっていたにもかかわらず、空路や海上からの輸送をただちに実行することも、そのための体制をつくることも岸田はまったくやろうとしなかったのだ。

　空自には救難部隊が存在し、大型のＣＨ47ヘリコプター十五機、陸自には五十六機が配備されている。だが岸田政権は、これらを災害救援に投入しなかった。その他方では、一月七日に千葉県の習志野で、ＣＨ47を使った陸自空挺部隊の公開演習が大々的におこなわれていた。この演習は、日本国軍だけでなく欧米とアジアの七ヵ国軍も参加する合同演習であって、震災の直後にも、この演習の準備をまさに災害救援よりも優先したのが岸田政権なのだ。対中国・対北朝鮮の臨戦態勢を強化するために、被災人民を見殺しにしたのである。

政権維持にのみ腐心

　岸田の最大の関心事は、岸田政権を支えてきた安倍派による「裏金づくり」が社会的に暴露され、内閣支持率が一六％にまで下落した、この政権の危機をなんとかのりきること、そのことにつきる。それが四日の記者会見後の岸田の行動に端的に示されたのであった。志賀原発について一言も語らないで会見を切りあげた岸田は、その後、テレビニュースに出演し、裏金疑獄をもみ消すための「政治刷新本部」設置や総裁再選についての政治談義を長々と笑いながらやっていたのだ。生存率が極端に下がる七十二時間をすぎる緊迫した時間帯に岸田がやっていたのが、これだ！

この翌日の五日は、経済三団体の新年会に出席、与野党党首会談のあとには「連合」の新年互礼会に出席と、独占ブルジョアどものご機嫌取りや「連合」芳野執行部の取り込みに精を出していたのだ。

外部電源喪失寸前にいたった志賀原発

地震によって志賀原発は外部電源を喪失する一歩手前にまで陥っていた。政府と北陸電力当局は、ひたすら「安全は確保されている」と称して地震後の志賀原発の損壊をヨリ軽微に見せかけようとした。だが、渋しぶ公開した原発の損壊状況は、志賀原発が危機一髪の状態にたちいたっていることを示している。

（イ）外部電源五回線の主要二回線が寸断された。1、2号機の主変圧器の配管が破断し、高温の油が大量に漏れ出したことによる。〔漏出した油の量は合計二万三四〇〇リットル。大量の油が海に流出したがゆえに隠蔽できなくなった北電が、この事態を公表したのだ。〕1号機と2号機の主要な変圧器が地震で破損しているがゆえに志賀原発は、いわば〝主電源を失った〟状態にたたきこまれている。いまは残った二台の予備変圧器を使ってかろうじて電力を供給するという綱渡りの非常体制にあるのだ。

この事態について北電は、二日の発表では「火災が起きたという情報がある」などと言っていたが、後日これを否定。だが、じっさいに「消火作業をおこなった」と言う。おそらく、火災が発生して外部電源が完全に断たれる寸前だったことを隠蔽しようとしているにちがいない。

外部電力の供給がなくなればディーゼルエンジンで電源を確保するとされているが、その燃料は一週間分しか備蓄されていない。使用済み核燃料のプールの冷却がストップすれば、二週間で沸騰、爆発するのだ。

（ロ）使用済み核燃料プールの水が振動であふれ出したと発表されている。1号機が九五リットル。2号機が三二八リットルといわれている。このとき、冷却を一時停止せざるをえなかったというが、真相はなおも闇の中に隠されている。

2号機の使用済み核燃料プールの水を冷却するための海水をためておくプールの水位については、北電は当初、「変化なし」と発表した。だが、四日になって、「津波の影響で三メートルあがった」と訂正している。万事がウソの発表とその訂正のくりかえしではないか。そもそも一〇一ヵ所あるモニタリングポストのうち十三台が地震によって計測不能となったのだ。「数値に異常はない」などという、発表される「情報」はまさに都合のよいように改ざんされているものでしかないのだ。志賀原発の危険性の隠蔽を断じて許してはならない。

（ハ）敷地内四ヵ所に地面の段差が発生した。「物揚場」と呼ばれる一〇〇メートル四方の港部分のうち、七〇メートル四方の埋め立て部分が三五センチメートル陥没したという。1号機付近の防潮堤の基礎部分二ヵ所と非常時に高圧電源車を使用するスペースに数センチの段差ができた。敷地の下の活断層が動いたのではないか。

そもそも今回の大地震は、活断層型のそれであった。しかも、震源域は能登半島全体を覆うような形で、佐渡島近くにまでわたる一五〇キロメートルの大断層が逆断層という形で動いたといわれている。

原発の積極的活用を掲げた岸田政権と、その意を受けた北電は、この志賀原発の再稼働を企んでいる。昨二三年三月には原子力規制委員会に、原発の真下にある断層を「活断層ではない」とする見解を提出させたのだ。だが今回の大地震によって「敷地内の断層が活断層かどうか」というレベルを超えて、まさに、巨大な活断層が半島の直近にあることが鮮明となった。しかも今回もっとも高い震度七を原発がある志賀町で記録したのだ。

すべての労働者・人民は、岸田政権の被災人民見殺しを弾劾するとともに、危険きわまりない志賀原発をただちに廃炉にするためにたたかおう！

（二〇二四年一月十日）

外部電源喪失の危機に叩きこまれた志賀原発

外浦増穂

能登半島大地震において、最大震度七を記録した石川県志賀町の北陸電力志賀原発（1号機・出力五四万キロワット、2号機・出力一三五万キロワット）は、激しい地震動と津波に直撃された。敷地内に地割れが起こり、海岸エリアでは三五センチメートルも隆起し大きな段差ができている。防潮壁も沈下し傾斜した。押し寄せた津波の高さは三メートルにものぼった（北電は四日後に公表）。この強烈な地震動により、志賀原発の二つの変圧器が破損し、停止中の原発施設に外部から供給する電源の一部を喪失した。志賀原発はいま、使用済み核燃料プールの冷却水循環ポンプを稼働させるための外部電源を喪失しかねない危機に叩きこまれているのだ。

それだけではない。東日本大震災級の強烈な地震動によって、プラント全体が計り知れないダメージを受けていることは明らかなのだ。

それにもかかわらず、「志賀原発の再稼働の方針にまったく変更はない」(一月十四日、首相・岸田文雄)などと傲然とブチあげているのが岸田政権である。まさに狂気の沙汰だ。いまこそ、志賀原発を廃炉にせよ！

変圧器が連続的に損壊

停止中の志賀原発には、外部から五〇万ボルト・二回線、二七・五万ボルト・二回線、六・六万ボルト・一回線の、計三系統五回線の送電線で電力が供給されている。この高圧の電力を変圧器を通して発電所内で利用する電圧（六九〇〇ボルト）に変換している。だが、地震によって1号機の起動変圧器と2号機の主変圧器がたちどころに損傷してしまった。変圧器は高熱を発するコイルを冷却するために絶縁性の高い油でつねに冷却している。ところが地震動によって二つの変圧器は、いずれも冷却装置と配管との溶接部分が破断・ひび割れし、ここから大量の油（計二万三四〇〇リットル、ドラム缶約一二〇本分）が溢れだしてしまったのである。これによって外部電源五回線のうち二回線が同時に断たれるという危機的事態にいたったのだ。

志賀原発1、2号機は福島原発事故後、約十三年間にわたって停止中であり炉内には核燃料棒が装填されてはいないものの、使用済み核燃料プールには発熱しつづけている燃料棒（計八七二本）が貯蔵されている。外部電源が断たれポンプが停止すれば、1号機では十七日間、2号機では二十九日間で冷却水が沸騰し、放置すれば冷却水が蒸発し燃料棒がムキ出しになり、爆発・炎上という最悪の事態をも招きかねないのである。すでに、地震動によってプールの水面が波打ち、放射能を含む冷却水が床に溢れ、それにともない約四十分間にわたってプールの冷却系ポンプが停止した。
福島原発は、地震によって送電線の鉄塔が倒壊し外部電源を喪失、さらに津波で非常用の発電機も使用不能となったことにより、メルトダウンという世紀の核惨事をひきおこした。これを「教訓化」した政府・電力資本は、非常時の「電源の多様化」を進めてきた、という。だが発電所内の施設が連続的に損傷するような事態は、まさに異常事態なのだ。そのような小手先の対策は、巨大地震をまえにしてはまったく無力だったことがあらわになったのだ。

それだけではない。北電や政府は発表の翌日には否定したが、故障した変圧器から火災が発生したのは明らかだ。北電の発表によるならば、作業員が1号機の変圧器付近で「油が焦げるような臭い」と「爆発音」を確認し、噴霧消火設備を手動で作動させた、2号機の変圧器でも自動で噴霧消火機が作動した、という。

それにもかかわらず、政府・北電は、変圧器の連続的な損壊・火災の発生という重大事故が志賀原発の廃炉に直結しかねないがゆえに、これを「なかったこと」にしようとしているのだ。政府・原子力規制委員会は「緊急時の情報発信に気をつけろ」と北電を恫喝している。これにたいして「社内の情報共有が不充分」「信頼を損なわないよう正しい情報発信を徹底する」と〝情報の隠蔽〟にさらに努めることを誓約しているのが北電当局なのだ。

〔北電の情報隠蔽は枚挙に暇がない。2号機変圧器から漏れ出た油の量を当初は「三五〇〇リットル」と発表していたがじつは「一万九八〇〇リットル」だったと三日後に〝訂正〟した。〕

「特段の問題はない」と居直る原子力規制委

二〇〇七年の新潟県中越沖地震の際に東京電力柏崎刈羽原発においても、変圧器が炎上するという重大事故がひきおこされた。電源ケーブルが破損しショートした。この火花が損傷した変圧器の配管から漏れ出た油に引火したのである。この火災によって外部電源喪失によるメルトダウンの危機が切迫したのであった。まさに福島原発事故を〝予告〟する事故であった。だがこれをなんら〝教訓化〟しなかったのが、政府・自民党、電力独占体なのである。

一月十日の記者会見で「福島原発事故を想起すれば変圧器の耐震基準を上げるべきではないか」と記者から追及された原子力規制委委員長・山中伸介は「変圧器の耐震性を上げて変圧器を守るとは考えない」「〔原子炉本体のように〕岩盤の上に設置されているわけではないので当然大きい揺れはある」などと涼しい顔をしてはねつけた。あげくのはてには「そもそも外部電源に期待しないというのが新規制基準の考え方だ！」と暴論を吐きケツをまくったのだ。

変圧器から漏れ床に溜まった冷却用の油（１月１日）

そもそも「原子炉格納容器などの本体は耐震基準が最高のSクラスとされているが、変圧器は最低のCクラスとされている。」（註1）政府・電力資本は、柏崎刈羽原発の変圧器火災事故以後も、そして福島原発事故以後の今もなお、これをなんら変えようともしないのである。まさに独占資本家としての利潤獲得を目的としてそのかぎりでおざなりの「安全対策」をほどこすにすぎないのが電力独占体であり、それを代弁しているのが政府・規制委なのだ。

1、2号機の変圧器損壊につづいて、使用中ではなかったもう一つの変圧器（2号機の励磁変圧器＝発電に必要な磁束を発生させるためのもの）の油漏れも見つかった。地震と同時に計三つの変圧器がそろって破断ないしひび割れが生ずるということじたいが、原発施設がいかに地震に脆弱であるかということを示している。原子力規制委の委員からさえ「発電所内の設備はもっと強くあってもいいのではないか」などという苦言が飛びだすほどなのだ。

しかも、「配管のジャングル」といわれるほど無数の配管が入り組んで走っている原子炉内は、いまだ点検もできていない。地震動によってどれほど打撃を受け壊れているかもまったくわからないままなのだ。北陸電力と政府は、これらの危機についていまもっていっさい口をつぐんでいる。

地震動のデータをひた隠しにする北陸電力

今回の地震は、志賀町で二八二八ガル（ガルは揺れの強さを示す加速度）、能登半島の七地点で一〇〇〇ガル以上を記録し、文字通り半島全体を揺り動かした。この東日本大震災（二九三三ガル）に匹敵する強烈な地震動に北電は驚愕したにちがいない（観測史上二〇〇〇ガルを超えたのはこの二例のみ）。北電は当日「1号機原子炉建屋地下二階震度五強、三九九・三ガルが観測されました」とだけ発表した。だが、それは最も揺れの少ない場所（岩盤上に建てられた原子炉本体など）の計測値だけを選んだものであり、敷地内の他の地点・施設の揺れはいっさい明らかにされていない。そもそも地震の巨大さに比してあまりに低いこの数値は、恣意的な計算式で「評価」した結果である可能性が大きい。

ようやく九日に原子力規制庁にだけ、「想定を上回る」測定値のほんの一端――「1号機九五七ガル（想定九一八）」「2号機八七一ガル（同八四六）」――をコッソリと報告していたのだ。当初発表の二倍以上ではないか！　記者から公表しなかったことを追及された北電当局は「データは暫定的な評価による速報値」であり正確ではない、と言い訳に終始するばかりか、「施設の安全性にかかわる確認が終る」まで〝地元自治体などに報告する考えはない〟と傲然と開き直っているのだ。

彼らが驚き慌てているのは、志賀原発再稼働のための適合検査において基準地震動、耐震基準などの大幅見直しが迫られ、早期の再稼働が不可能になるからだ。（たとえば、今回動いたとされる能登半島の北岸に沿って一五〇キロメートルも延びる断層について、北電は海底の調査が難しいことを口実にしてせいぜい「九六キロメートル」などと意図的に過小に評価し地震動を低く推計していた。）

　福島原発事故後の新規制基準にもとづく志賀原発の適合審査において、原子炉建屋直下にある断層の「活動性は否定できない」との二〇一五年の規制委の評価を、昨年三月に「活動性はない」と無理矢理ひっくり返した規制委と北電は、昨秋から周辺断層の評価やこれにもとづく基準地震動、予測される津波の高さなどを定める手はずを整え一気に再稼働に突き進むハラだった（註2）。まさにその矢先に、今回の「想定を上回る」地震動に見舞われたのである。そもそも、今回の能登半島地震は半島北岸の巨大断層が引き金となって日本海沿岸一帯を揺り動かしたのであり、新潟県、福井県、島根県、青森県、北海道などに立地する原発の耐震基準の再検討に直結しかねない。いやそれどころか、〝地震の巣〟に等しいこの日本海沿岸地域に原発を立地することじたいが、正気の沙汰ではないというべきなのだ。被災し命からがら避難した住民が口々に叫んでいるではないか。「もし原発が動いていたらと思うとゾッとする。再稼働なんてまっぴらご免だ！」と。

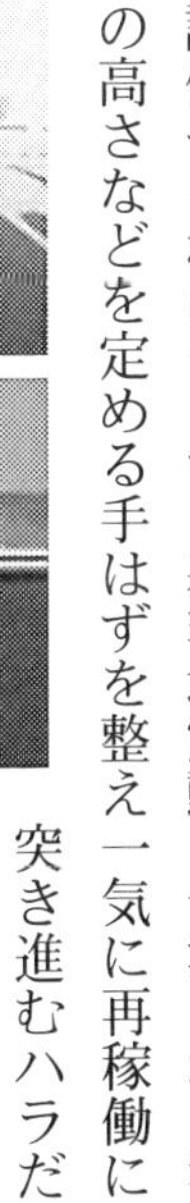

志賀原発敷地内にできた亀裂・段差

　いまや規制委委員長・山中じしんが、今回の地震にともなって、再稼働のためには周辺活断層の評価をやり直さないわけにはいかないことを渋しぶ認め、「年単位の時間を要する」とつぶやかざるをえなくなっている。けれども岸田政権・北電は、ほとぼりが冷めればなんとしても再稼働させることを狙っているのだ。

　だが、地震が多発する能登半島の志賀原発を再稼働させることは、いったいどれほどの核惨事を現出させることになるか計り知れないのだ。志賀原発の再稼働のための一切の策動にトドメをさせ！　志賀原発を廃炉に！　原発・核開発を阻止しよう！

註1　『ノーモア・フクシマ』ＫＫ書房　六八頁、「柏崎刈羽原発事故の教訓の無視」参照
註2　『解放』第二七六五号笠舞徹論文参照

福島第一原発「廃炉計画」の破産の居直りを許すな

デブリ採取の展望たたず

能登半島地震で最大震度七を記録した志賀町に立地する北陸電力の志賀原発は、1号機と2号機の変圧器の配管に亀裂が生じ、合計二万三四〇〇リットルもの絶縁用油が流出した。外部電源五回線のうち主要な二回線の電源が断たれ、事故発生から一ヵ月以上を経ても予備電源変圧器からの受電に依存している。

停止中であった志賀原発は炉心に燃料が装塡されておらず、使用済み核燃料プールの燃料も原発停止から十三年を経て冷却がすすんでいた。それゆえに、さしあたり大惨事に発展してはいない。もしも稼働中であったならば、メルトダウンをひきおこした東京電力福島第一原発の二の舞になりかねなかった。まさに、わが革命的左翼をはじめとする再稼働阻止の闘いが、〝第二のフクシマ〟の発生を防いだといえる。

十三年前に爆発・炎上事故をひきおこした福島第一原発ではいま、「廃炉計画の進展」を宣伝するために政府・東電経営陣がおしすすめてきた核燃料デブリ取り出し作業がデッドロックにつきあたっている。

東電経営陣は二〇二四年一月二十五日に、2号機で「三月中に始める」としてきたロボットアームを使っての試験的デブリ取り出し（わずか数グラム）を「十月」に延期すると発表した。しかも鳴り物入りで宣伝してきたロボットアームを使った工法ではなく、作業員が釣り竿のような装置を使ってわずかのデブリを削りとる工法に変えるというのだ。

最長二二メートルもある巨大なアームを使った工法は、わずか数グラムの取り出し計画ではあったが、八八〇トンもある核燃料デブリの取り出しが可能であるかのように見せかけようと意図したものであった。この計画の破産を隠蔽するために、二〇一九年に実施した釣り竿工法を、労働者に大量被曝を強いるこの工法をまたしても採用しようとしているのである。

今回使用を見送ったロボットアーム

釣り竿状の装置（2019年の調査時）

すでにわれわれが幾度も暴露してきたように、デブリの「試験的取り出し」作業なるものは、「四十年廃炉」計画が現実的であるかのように見せかけるためのパフォーマンスにすぎない。そして「四十年廃炉」計画なるものは、事故をひきおこした政府・東電経営陣が、みずからへの労働者・人民の怒りをかわすためにデッチ上げた虚構にほかならない。放射能汚染水の増加を防止するために原子炉建て屋への地下水の流入を阻止するなどの対策をとることをそっちのけにして、人民を欺瞞することに血道をあげてきたのが政府・東電経営陣なのだ。

狡猾・厚顔な『日経』社説

「デブリ取り出し」＝「四十年廃炉」計画の破産がいよいよ露わになっている状況をまえにして、「原発推進」の旗を振る日本独占ブルジョアジーの意志を代弁する『日本経済新聞』は、その「社説」(二月八日付)において言う。「数グラムの採取を急ぐ必要があるのか」「原子炉などを全て撤去し更地に戻せるとみている専門家は非常に少ない」「中長期にわたる道筋を明らかに」せよ、と。

政府・東電経営陣にお説教をたれる口調の「社説」執筆者のハラの内はこうだ。

放射能汚染水の海洋放出の口実として、「デブリ取り出しのための作業場用地の確保」が必要だとさんざん言ってきたが、もう放出を強行したのだから、これ以上デブリ取り出しに向けて作業をすすめているかのようなポーズをとる必要はない。今後必要なのは、福島県をはじめとした人民の怒りの爆発をおさえこむために応急措置として掲げてきた「四十年廃炉」の非現実的看板をつけ変えることだ。更地に戻すなんてできないことを、地元の住民にどうやっておしつけ・あきらめさせるかを考えることだ。

この「社説」は、「更地に戻す」なんて、〝できないものはできない〟と居直り、「中長期にわたる」原発事故被害を人民に受け入れさせたうえで、原発を推進せよと言いたいのだ。

志賀原発が大地震に見舞われたあとでもなお首相・岸田文雄は、「再稼働を進める、この方針はまったく変わらない」とほざいた(地震発生から二週間後の一月十四日に現地を視察した際の言辞)。〝第二のフクシマ〟の招来さえも耐え忍ぶことを労働者・人民に強要しようとしているのが政府・独占ブルジョアどもなのだ。

われわれは決意も新たに原発・核開発反対闘争の爆発をかちとるために奮闘するのでなければならない。福島第一原発放射能汚染水の海洋放出弾劾！志賀原発をただちに廃炉にせよ！原発再稼働・新増設反対！すべての原発・核燃料サイクル施設を即時停止し廃棄せよ！

S・U

海底活断層を無視してきた政府・地震調査委を弾劾せよ

唐戸　勇

一月十五日、政府の地震調査委員会がようやく開催された。能登半島北部を震源としたマグニチュード7・6の、過去一〇〇年間の日本の活断層地震としては最大規模の地震が発生してから二週間もたってからである。この委員会は、今回の巨大地震は「半島周辺にある複数の海底活断層が連動し、発生した可能性が高い」などという見解をいまさらながらまとめたという。だが彼らはこのかん、この海底活断層の存在を無視しつづけ、能登半島沖の地震の緊迫性については一言も語ってこなかったではないか。それを棚に上げて、今回の地震をひきおこした海底活断層が「既知の断層」だったかどうかは「調査に時間が必要」だ、などとほざいて政府の犯罪性をごまかそうとしているのだ。絶対に許すな！

指摘されていた半島沖の「長大海底活断層」の存在

今回の大地震は、能登半島の北岸に沿ってほぼ東西に走る巨大な海底活断層が動き、逆断層という形でひきおこされた。すでに二〇一二年、今から十二年前に、この海底活断層の存在を科学的に実証する研究調査が、「日本地理学会」の後藤秀昭氏（広島大学）らによっておこなわれ、今回の地震の震源域とＭ7・6が予測されていたのだ。（註1）

後藤氏らは、海底地形のデジタルデータをもちいて、能登半島北岸沖東部を対象に海底地形の概念図を作成し、それをもとに陸上の活断層と同様の手法で変動地形学的（註2）な判読をおこない、活断層図を作成している。すなわち、「海岸線の一般走向にほぼ沿うように北東から南西方向に断層変位地形が連続して認められる。明瞭な一条の活断層（Ｆ1断層）が連続して読み取れ、一部ではさらに北側に分岐・並走する。（Ｆ2、Ｆ3、Ｆ4）」「Ｆ1断層は海岸線から数百メートルから約四キロメートル沖で、海岸線にほぼ並行しており、Ｆ1断層の隆起側に半島があることから、現在の海岸線がＦ1断層の断層運動と強く関連して形成されたと考えられる」と（「広島大学大学院文学研究科論集第七十二巻特輯号」）。

明らかに、能登半島北岸の直線的な海岸線は沿岸の海底にある活断層の活動でできたものであること、ならびに、その海底活断層は、ひとつながりのものであることが明らかにされていたのである。

後藤氏らが採用した「陸上活断層判断と同様の手法」という新たな技術をもちいた調査は、それまで政府・地震調査委員会が主力として採用していた「音波探査」による地質調査の限界性を突破するものであった。船舶を使っての海底の音波探査は、器材も複雑で、調査の時間や労力・費用もかかる。堆積する地層が薄くて断層か否かの識別が困難でもあり、しかも、沿岸部における調査は漁業の妨げにもなる。このゆえに、調査の領域も縮小されたり、測定された活断層の長さも短くされたりした。二〇〇七年の新潟中越沖地震も海底活断層によるものであったが、東京電力柏崎刈羽原発の地震想定をめぐって、東電や政府は音波探査による調査結果にもっぱら依拠して、この海底活断層を大幅に過小評価していたのだ。

二〇〇八年に経済産業省所管の産業技術総合研究

所が能登半島の北岸沖で海底地質調査を実施したときにも、北東から南西方向の活動的な逆断層が、二〇キロメートル前後の長さの四本（珠洲沖セグメント、輪島沖セグメント、猿山岬沖セグメント、門前沖セグメント）としてバラバラに分割されてとらえられていた。この結果〝短い断層であるから大地震を起こさない〟と政府・経産省はみなしていたのだ。（図1参照）

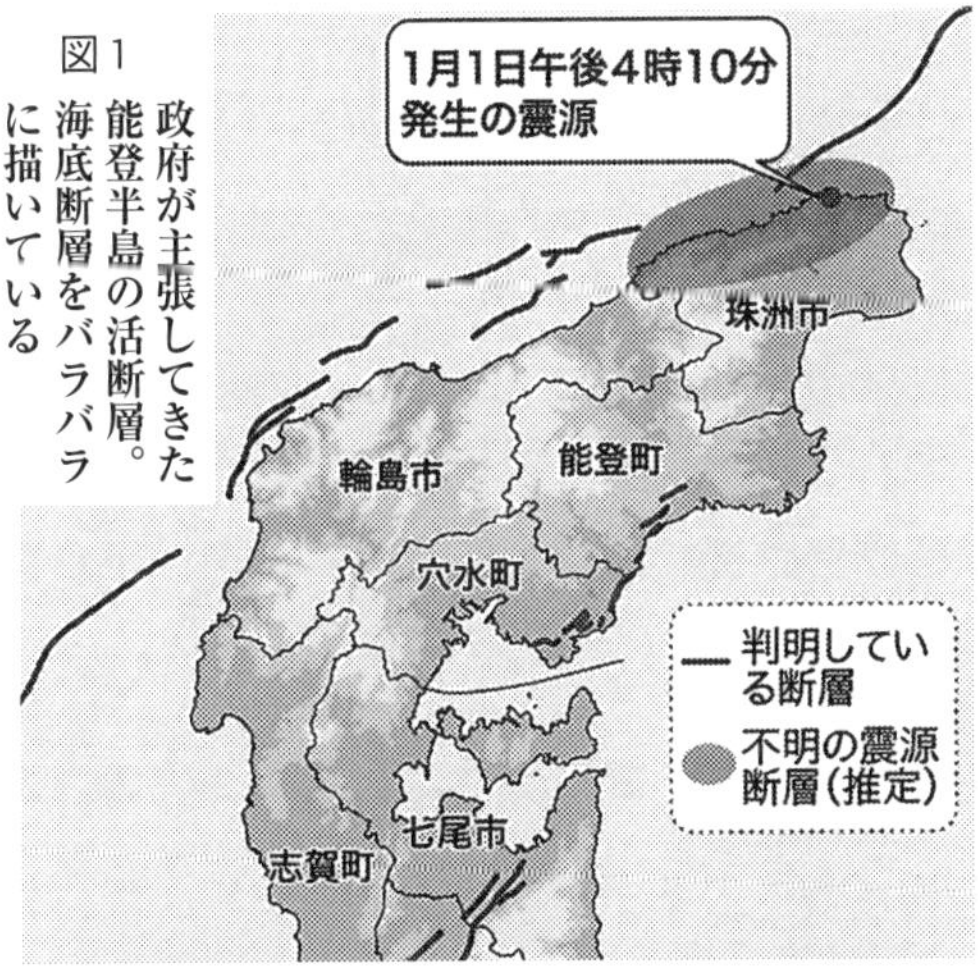

図1　政府が主張してきた能登半島の活断層。海底断層をバラバラに描いている

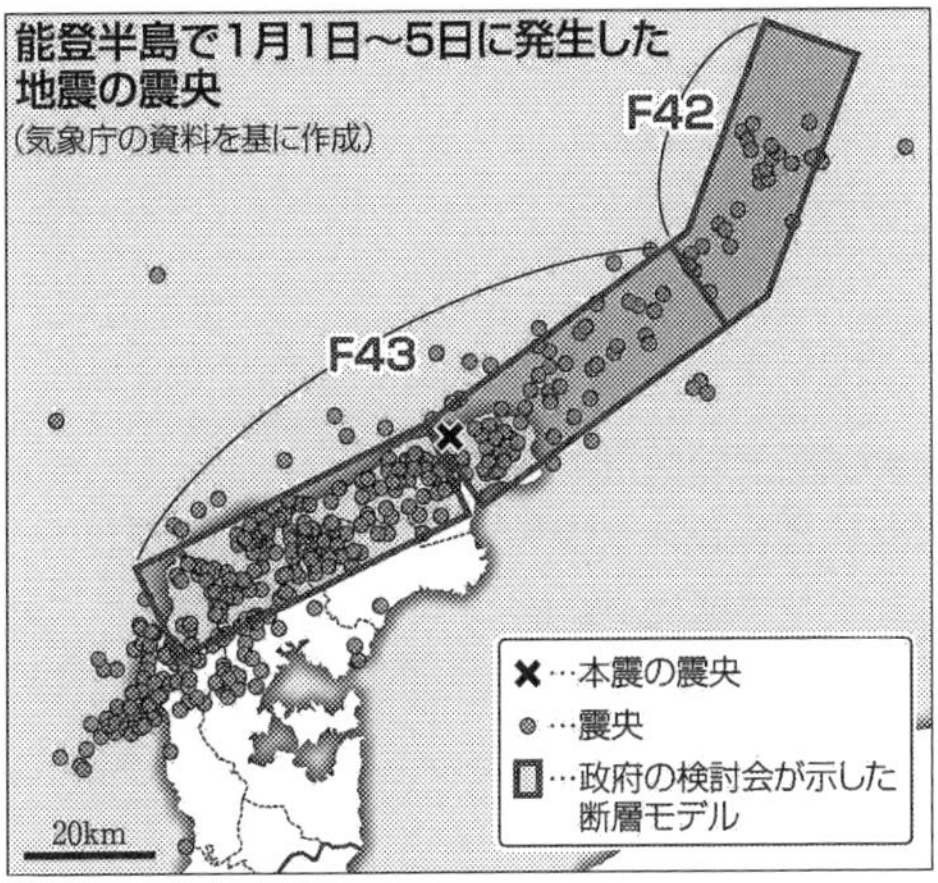

こうした難点を克服するために、「日本地理学会」の後藤氏らは、新たな手法をもちいて、二〇一二年に先のような調査結果を発表したのである。この研究成果は、一四年に国土交通省が有識者を集めて開いた「日本海における大規模地震に関する調査検討会」において「F43」断層モデルとして生かされ、公表されていた。「検討会」は一三年～一四年にかけて、六十ヵ所を調査し、海底地形のデータなどから日本海側全体の海底活断層を特定し、活断層が動いた場合に起こる地震や津波の程度を予測する「断層モデル」をつくり公表した。その一つである「F43断層」は、「長さ九四キロメートル、幅一九・七キロメートル」であり、東側に隣接する「F42断層」とあわせると、今回の能登半島地震の余震の震央分布の範囲とほぼ一致するのである（図2参照）。

図2

しかも「F43断層」で地震が起きると、M7・6になると予測されていたのであって、今回の能登大地震は、この予測どおりであったのだ。

原発推進のために大地震の危険性・切迫性を過小評価

ところが政府の地震調査研究推進本部（一九九五年の阪神大震災いご発足した）に所属する地震調査委員会は、この研究の成果とそれにもとづく地震発生予測モデルを、まったく無視しつづけてきたのだ。彼らはこのかん、全国の主要な活断層で発生する地震の規模と発生確率を予測したものを「長期評価」として公表し、警戒を呼びかけてはきた。だが、それは陸域に限ったものであり、海底活断層は対象外としてきたのだ。二〇〇七年の能登半島地震や、新潟中越沖地震が、明らかに海底活断層が動いたことによるものであるにもかかわらずである。一四年に「F43」断層モデルが公表されてもなおも沈黙し、海底活断層を評価対象に加えたのはじつに一七年になってからなのだ。

しかも、強い地震が発生する確率を色別で示した「全国地震動予測地図」(二〇年)には能登半島沖はまったく反映されてさえいないのである。太平洋側の「南海トラフ地震」の危険性なるものを、数式を変えて大きく宣伝することに終始し、能登半島沖の

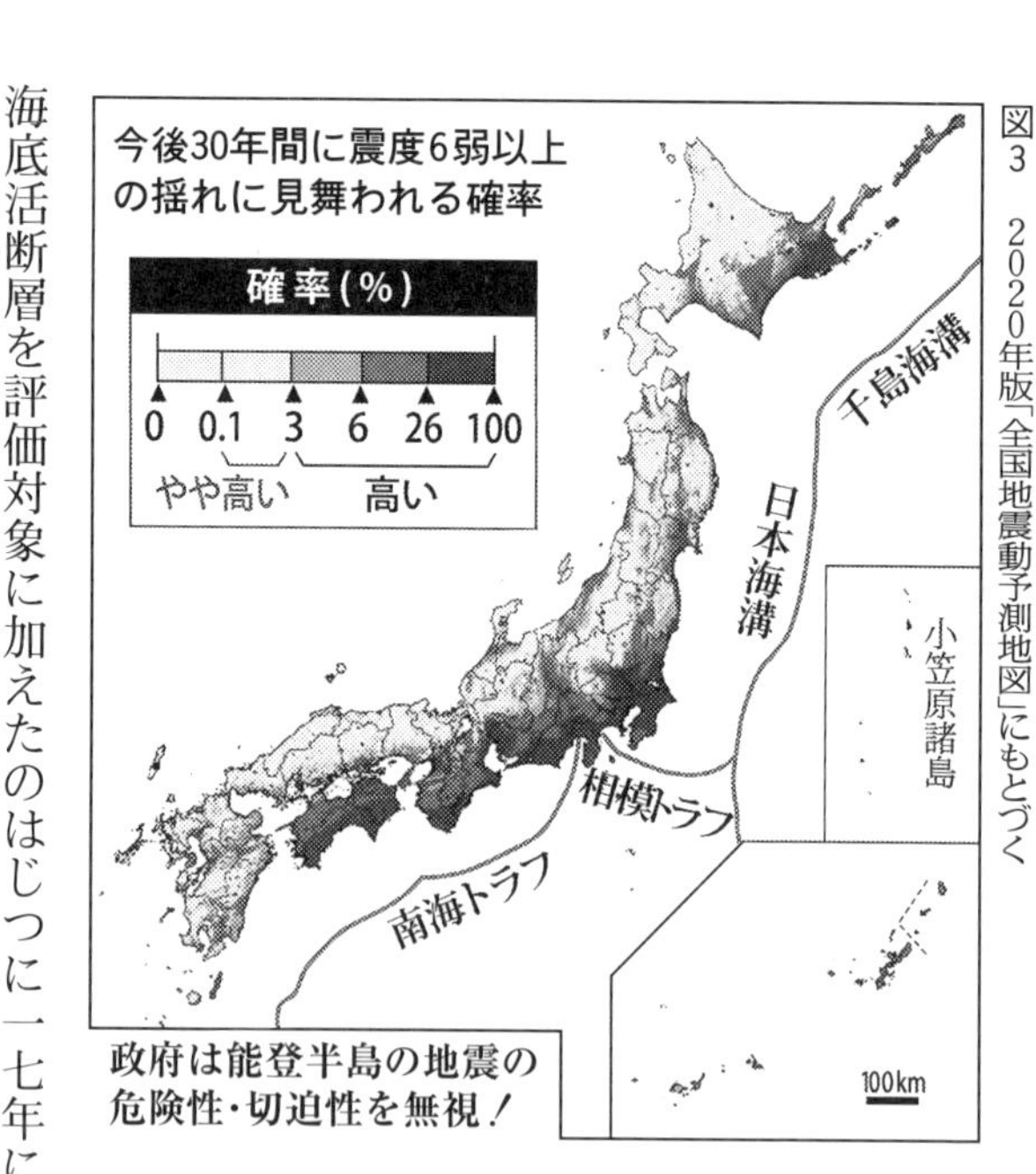

図3　2020年版「全国地震動予測地図」にもとづく

地震の危険性・その切迫性については無視しつづけてきたのだ。（図3、註3）

「予測地図」では、二〇年から三十年間に震度六弱以上の揺れが起きる確率は、石川県ではなんと「〇・一%～三%未満」とされたのだ。この評価を

上　地盤が4メートルも隆起した漁港（輪島市）
下　激しく損傷し通行不能になった道路（珠洲市）

活用して石川県当局は「地震リスクは低い」ことを企業誘致の宣伝文句としても活用してきたほどなのだ。当然にも県の防災対策はおざなりになり、一九九八年作成の防災対策指針は二十五年間まったく見直しもされてこなかったのだ。中越沖地震、東日本大震災、そして二〇〇七年の能登半島地震などが引き起こされたにもかかわらずである。（註4）

政府・石川県当局は、何故に海底活断層の存在をごまかし過小評価し、その危険性を隠蔽してきたのか。いうまでもなく、その主たる理由は、能登半島にある北陸電力志賀原発の再稼働をなんとしても実現したいがためである。

図4

これまで政府・原子力規制委員会は、志賀原発周辺の陸上十個、海上二十六個の断層を「いずれも

活断層ではない」などと主張してきた(一三年三月)。だが志賀町は、今回の地震で最も高い震度七を記録したのであって、いま志賀原発直下の活断層はもちろんのこと、直近の富来川南岸断層がにわかに見直され、今回の地震で動いた活断層である可能性が高まっている(図4)。〝安全性無視〟の原子力規制委員会のデタラメさ、および地震調査委員会の海底活断層の意図的な無視――この政府の意を体した両委員会の犯罪性がいまや白日のもとにさらけだされているのだ。

志賀原発を廃炉にせよ！　地震列島日本の上にあるすべての原発・核燃施設を廃棄せよ！

註1　「日本活断層学会」の会長である鈴木康弘氏は、共同通信の要望にこたえるかたちで、「M7クラスの地震は予測可能であった」と、政府・地震調査委員会による後藤氏らの研究成果の抹殺を告発する「問題提起」を、各地方紙に公表している(一月五日)。

註2　変動地形学とは、地殻変動や活断層についてのメカニズムを解明する学問分野。阪神淡路大地震いご、活断層研究の研究者によって推称された。主に人文系の地理学の研究者が中心。名古屋大学の鈴木康弘氏や、東洋大学の渡辺満久氏は、地上の活断層の識別を、航空写真を使っても試みている。

註3　二〇二〇年頃から珠洲市を震源とする群発地震が続いており、昨二三年五月には震度六強の地震が発生していることについて、文部科学省の委託を受けた金沢大学、東京大学など十九機関が、昨年十二月に調査結果として「安心するには早いが」「活発化している傾向は見えない」と分析。群発地震の原因として考えられている「流体」の移動にともなう地殻変動も昨年の十一月頃から鈍化している、と楽観的に分析し、十二月二十一日には早ばやと収束宣言を出していた。

註4　一九九八年に公表された石川県の能登沖地震による被害想定では、M7・0の地震が発生するが、「ごく局地的な災害で、災害度は低い」などとされ、「死者七人、建物全壊一二〇棟、避難者二七八一名」などという、今回の被害とは比べものにならないほどの超軽微なものに抑えられていた。

(二〇二四年一月二十三日)

〝災害関連死〟に追いやられる能登の被災民

桐古田挽三

過酷な避難所生活

震度七の能登半島大地震の発生から早くも一ヵ月が過ぎた。奥能登地方の五万人以上の人々が被災し、死亡者は二四一人にも達している(二〇二四年二月八日現在)。いまなお約一万五〇〇〇人もの人々が、余震に不安を募らせながら、凍える寒さのなか停電・断水・トイレ不備という過酷な衛生環境の避難所での生活を強いられている。農業用ビニールハウスに身を寄せ合ったり、ブルーシートに覆われた自宅に戻って自主避難している人々も多数いるのだ。しかもその半数以上が高齢者である。彼らは二週間もたってからようやく現地視察にきた首相・岸田文雄に、「何もかもが足りない」と怒りの声をあげたのだ。

岸田と石川県知事・馳浩は、避難所生活の長期化への批判が沸きあがるなかで、被災民にたいして県南部や県外への〝二次避難〟なるものをとりくみはじめた。しかし、この遠隔地への〝二次避難〟に応じる避難民は一五%ほどしかいない。「もう能登の地には帰れなくなる」と不安を募らせているだけでなく、食事提供もないところが数多くあるからである。しかも二次避難所の旅館・ホテルは、北陸新幹線の敦賀延伸開業を三月十六日に控え、政府・県当局および資本家の要請・圧力を受けて観光客受け入れのために被災民に退去を強要しているのだ。こうして一次避難所への逆もどりを余儀なくされるであろう住民が多数にのぼる。

ビニールハウスを自主避難所に（輪島市）

「能登はやさしゃ　土までも」という〝言い伝え〟があるように、被災した能登の人々は、悲しみをこらえたがいに助け合いながら必死に耐え生きぬいている。この被災人民を実質的に放置しているのが、岸田政権だ。これを棄民政策といわずしてなんといおう。被災人民を見殺しにする岸田を絶対に許すな！

被災人民放置をきめこむ岸田政権

長期の避難所生活で、すでに十五名を超す〝災害関連死〟が発生し、急激に増大しつつある（二月二十六日現在）。被災直後の三日に倒壊した自宅から救出された八十一歳の女性は、四日に体調の異変が生じ病院に搬送された。搬送時には体温が二十五度で、二時間後に低体温症で死亡した。ガレキの下敷きになったまま厳冬下に長時間放置されていたからである（註）。一月九日時点の石川県の報告ですら、急性呼吸器感染症が約七十人、消化器感染症が約四十人にものぼっている。しかも避難所で、新型コロナ感染のクラスターが次つぎと発生し高齢者が命を落としている。避難所では感染者を十分に隔離措置することもできず感染が拡大しているのだ。金沢をはじめ県南部に移送され病院などに収容された高齢者の約半数が新型コロナ感染者であるともいわれている。

二〇一六年の熊本地震では、地震による直接死（五十人）の四倍の二一八人が〝災害関連死〟であった。それも地震発生後一ヵ月以内に死亡した人が六割で、七十歳以上がその八割を占めた。奥能登地域は六十五歳以上の高齢化率が五〇％を越える。

この奥能登地域の拠点病院である市立輪島、珠洲市総合、宇出津総合（能登町）、穴水総合の公立四病院はすべて被災し、医療機器の破損・故障、そして停電・断水にみまわれた。しかも医師や看護師などの医療労働者自身が被災し三分の一が出勤不能の状況におちいり、病床が通常の二割しか使用できない状態にまでたちいたった。しかも過疎地の公立病院の縮小・統合にともなう人員削減の攻撃が振りおろされている渦中に震災にみまわれたことによって、各病院はひっきりなしに避難所から運ばれてくる負傷者、感染症患者であふれ、まさに医療現場は〝戦場〟と化し医療崩壊状況を呈した。厚生労働省が管轄する災害派遣医療チーム（ＤＭＡＴ）の派遣は、崩壊した道路の応急措置の遅れによって現場への到着が大きく遅れた。この危機をのりきるために、各病院は一〇〇人あまりの入院患者を県内外の病院へ急きょ転院させた。これによって金沢の大規模病院では、急速に病床がひっ迫し救急患者の受け入れもがままならない状況となっているのである。いま、人員不足のもとで不眠不休で働く医療従事者は疲労困憊しながら必死に業務を遂行している。医療従事者不足のゆえにもたらされているこうした事態をのりきるために、厚労省もＤＭＡＴの派遣期間を規定の二週間から、一ヵ月に延長せざるをえなくなっているのだ。

準臨戦態勢を優先し医療船出動を放棄

地震発生三十分後に、岸田政権は石川県当局からの自衛隊派遣要請を受理したといわれている。にもかかわらず、二日に一〇〇〇名、四日に六〇〇〇名の自衛隊員を派遣したにすぎない。二日の午前中の輪島の空は救助のヘリの音もなく「異常に静かだった」といわれている。「潰れた家の下に人がいる。助け出してくれ！」という数限りない被災民の必死の悲鳴の声があがっていたにもかかわらず、この自衛隊の小規模な派遣によって、被災者は見殺しにされたのだ。

　避難所は高齢者であふれかえり、体調不良を訴え病に伏す避難者が続出していた。圧倒的な人員不足のもとで、被災者の救済のために不眠不休で医療活動を担う医療従事者は悲鳴をあげていた。この状況に現地に派遣されたＤＭＡＴから、「災害関連死」の急増の危険性が指摘され、緊急の対処・体制の増強が要請された。しかし首相・岸田は自衛隊の医官をアリバイ的に派遣しただけで、大量の自衛隊医官を現地に派遣することをしぶったのだ。

　かつて二〇二一年に菅義偉とそれにつづく岸田の両政権は、コロナウイルス対策で自衛隊の大規模接種会場を東京と大阪に二年間にわたって開設しワクチン接種を実施した。自衛隊中央病院をはじめ全国から医官や看護官らを招集し、二年間で延べ約一〇万四〇〇〇人も投入した。（医官は全国で一〇〇〇名、看護官一〇〇〇名、準看護官一八〇〇名がいるといわれる。）このコロナ・ワクチン接種の体制に比するならば、能登の被災民の救助・支援の手ぬきぶりは明らかではないか。大企業・独占体の生産活動・営業活動を維持し守るために首都中枢や大都市のパンデミック対策には自衛隊を大動員した岸田。大企業経営者・独占ブルジョアの利害を体現するこの政権はいま、傲然と能登半島の被災者を見捨てているのだ。

瓦礫のなかを駆けつけるＤＭＡＴ（輪島市）

　そればかりではない。二〇二一年に、東日本大震災を「教訓」にして内閣官房が主導し防衛省も参画して「災害時等における船舶を活用した医療提供体制の整備の推進に関する法律」を制定した。昨年には「災害医療における民間船舶の活用」だけでなく、「巨大地震を想定した自衛隊艦艇を活用した実証訓練」を実施し、「診療船または脱出船としての運用」の検証を実施している。自衛隊の五十床近い患者用寝台を備えた、ヘリ搭載の「いずも」型護衛艦など十五隻の活用の検討をおこなっているのだ。にもかかわらず、今回の能登半島大地震においては、民間フェリーをたった一隻、七尾港に派遣し避難所に使用しただけだ。自衛隊艦船は一隻も医療船としても避難所としても出動させなかったのだ。

この動員態勢を、岸田は「制約のなかでの動員」などと居直っている。よくぞ言った。緊急動員指令がくだされることを想定して待機していた全国の自衛隊各方面隊の動員を中止して中部方面隊のみに限定したのは岸田政権ではないか。政府は、能登の被災民が生死の淵をさまよっているそのときに、彼らを救助することも支援することもそっちのけにして、輸送艦「おおすみ」を被災地支援を理由に護衛艦とともに能登半島沖に急派して待機させたり、習志野における八ヵ国合同軍事演習に自衛隊部隊を投入してきた。このことは、岸田政権の主要な関心事が、対中国、対北朝鮮、対ロシアの日米準臨戦態勢を、数多の犠牲者を生みだしている大災害のもとにおいても決して緩めないということにこそあることを示しているではないか。これこそが「制約」の内容なのだ。防衛相・木原稔いわく「〔能登半島大地震の発生という〕状況にあっても、国の守りにゆるぎないことをしっかり示すことが非常に大事」と。能登半島大地震の被災人民を見捨てるネオ・ファシスト岸田を絶対に許すな！

註　石川県は災害関連死の認定を四月以降におこなうとしている。現時点では認定基準が明確に定められていないからである。

労働者・農民工の怒りに脅える ネオ・スターリニスト習近平

美月翔子

中国の国家主席・習近平は、昨二〇二三年十一月に約一年ぶりにアメリカ大統領バイデンとの首脳会談をおこなった。この北京官僚の頭目は、バイデンに向かって鷹揚な態度で言い放った――「地球は十分に広く中米両国は共存できる」と。これは、軍国主義帝国の老衰を体現しているアメリカ権力者に向かって、中国は遠からずアメリカを凌駕する超大国であることを認めよ、とつきつけたという意味をもつ。

だが、この中国じしんが深刻な危機に瀕していることは覆うべくもない。経済の低迷・深まる貧困に人民の不満と怒りは募るばかりだ。しかも「習近平一強体制」と称されてきたその政治支配体制も、中国共産党を名のるネオ・スターリン主義党内の抗争に揺さぶられグラついている。共産党総書記・国家主席・中央軍事委員会主席三期目の習近平が率いるこのネオ・スターリン主義国家中国は、いまや断崖絶壁の縁にあり、その反人民的・反労働者的本性をいよいよむきだしにしている。

Ⅰ 「戦狼外交」を封印した中国

この米中首脳会談において両者が何ごとかについて議論したわけではない。習近平は、没落帝国アメリカのバイデンに向かって世界の覇権奪取の野望を隠そうともせず、他方でバイデンは、「唯一の競争相手」とする中国の最高権力者をまえにして世界の覇者の座にしがみつく。両者は持論を言いあうだけだ。この首脳会談の意味は、両者が会うこと、対話することそれじたいにあったのだ。いずれの側からも閉ざしているホットラインを再開し、軍トップ同士の対話再開のために、必要なことであった。

習近平が訪米した最大の目的は、その夜にもたれたアメリカ独占資本家どもとの夕食会だ。自社EVの四割を上海で生産し、新疆ウイグル自治区にまでサービスステーションを置いているテスラのイーロン・マスクをはじめ、自己の資本家的利害からバイデン政権による対中「デカップリング（サプライチェーン分断）」に反発をあらわにしているアメリカ経済エリートども、この連中に習近平は言う――中国は、バイデンが言うような「ライバル」ではなく「パートナー」になることを望んでいる、「分断（デカップリング）」などはやめさせようよ、と。この中国官僚の頭目は、猫なで声でアメリカ独占ブルジョアジーに対中国投資の拡大を迫るためにこそ、バイデンとの会談を必要としたのである。

中国経済はいっこうに回復しない。落日のアメリカ帝国主義・バイデン政権が同盟国・友好国を総動員しておしすすめる対中軍事包囲網強化および先端半導体などのハイテク部門での「サプライチェーン分断」の策動によって、経済のたて直しはますます困難になっている。習近平ら北京官僚指導部にしても、アメリカ権力者との白熱化した対立を緩和する方向へと、外交姿勢の若干の修正をはからないわけにはいかなかったのである。

習近平・中国の最大の盟友であり反米共闘を組む〝同盟国〟がプーチンのロシアである。ガザ人民大虐殺に狂奔しているイスラエル・シオニスト政権にたいする軍事支援拡大を機にアメリカが対ウクライナ支援を縮小し停止せんとしている今がチャンスとばかりに、ウクライナ全面占領を策して軍事的猛攻にうってでているプーチン。この男を習近平は昨年十月に北京で開いた「一帯一路フォーラム」において「古い友人」と呼んで肩を抱いたのであった。

この中国権力者は、プーチンがウクライナ侵略にうってでたときにも、そして今も、プーチンのこの戦争を支持する態度は決してとらず、軍事支援は言下に否定する。だがこの中国こそが、ロシア産石油・天然ガス・穀物の安価での輸入を急激に拡大し史上最大を毎月更新していることにその一端が示されているように、経済的にはもちろん、政治的にも、おそらくは軍事的にも（迂回貿易などをつうじて）、プーチン政権を支えていることはいうまでもない。習近平政権は、エネルギー資源を安く入手するなど、この「プーチンの戦争」によって〝利益〟を得ている。

〝非米〟の途上諸国糾合に狂奔

米―中・露が火花を散らして激突するはざまで、ロシアの狂暴な侵略行動に恐怖したり嫌悪したりしつつも、少なからぬ途上諸国・後発諸国が、アメリカが主導する「ロシア非難」決議や「対ロシア制裁」に加わらなかった。「一超」を誇ったアメリカ帝国主義の暴虐に苦しめられてきた過去を、多くの途上諸国人民は、そして権力者も、忘れることはできない。これら諸国は激突するいずれの大国とも距離をおきつつ自国の生きのこりを策している。

こんにち習近平政権は、「グローバル・サウス」と呼ばれるこれら諸国権力者を――図々しくもみずからを「発展途上国の一員」とおしだして――おのれの側に緩やかに囲いこみ、もって対中包囲＝封じこめをはかるバイデン政権に対抗し、没落アメリカを逆に孤立させんと策している。その中心環がSCO（上海協力機構）の固めをテコにしたBRICS拡大である。

二〇二三年夏のBRICS首脳会議における決定にもとづいて、今二〇二四年一月一日をもってこれまでの五ヵ国に加えてサウジアラビア、イラン、UAE、エジプト、エチオピアが構成国になった。さらにインドネシアやタイ、ナイジェリアなど十七ヵ国が「加盟への関心」を表明しているという。習近平政権は、さしあたり「戦狼外交」を封印し、「内政不干渉・国家主権擁護・領土の一体性保全・一方的制裁反対・経済支援」を看板にして「非先進諸国」を緩やかな非米の経済圏〔「ドルに縛られない国際決済」にもとづく〕に束ねることを追求し、一定程度は功を奏しているかにみえる。

けれども、これら諸国は、アメリカ帝国主義によって揺さぶられ、国内も流動し、その「自国利害」も揺れ動く。BRICS参加を確認していたアルゼンチンが、極右リバタリアンのミレイが大統領に就任するや否や、参加を拒絶したことにもその一端は示されている。それだけではない。「対立よりも連帯」などと称しているインドのモディは、SCOおよびBRICSに参加する他方で、アメリカ主導のQUAD(米・日・豪・印四ヵ国連携)やIPEF(インド太平洋経済枠組み)にも加わり、習近平の中国に対抗して「グローバル・サウス」のリーダーの座を狙う。そのために猛烈な勢いで軍事力強化に突進してもいる。

BRICS参加国といっても各国が自国利害にもとづいて勝手に動くことは、中国権力者も承知のうえだ。中国主導の実質的な「中国経済圏」として創出してきた『一帯一路』協力」は、中国による途上諸国への返済不能な巨額融資とそれによる当該国家への圧力強化(「債務の罠」)にたいする諸国権力者の反発や中国じしんの途上諸国に投資する資金の払底によって、ゆきづまりつつある。これを補完するものとして追求しているのが、BRICSやその他の「非先進国」緩やか連合なのである。

バイデンのアメリカが、没落の末期症状を呈しながらも日本や欧州の同盟国・友好国を総動員して中国にたいする軍事的・経済的封じこめに狂奔している今、しかもそれによって中国経済が打撃をこうむっている今、彼ら北京の官僚指導部は、非米・嫌米

・反米の「非先進諸国」との緩やかな関係強化を軸とし、同時にアメリカとの軍事的・経済的対立のエスカレートは抑制する方向で、外交政策の若干の修正をはからなければならなくなっているのである。
もちろん、彼らが「核心的利益中の核心」とよぶ台湾併呑や、また南シナ海の領海化にかんしてはいささかの変更も譲歩もない。中国海空軍を台湾周辺から南シナ海にかけて広く遊弋・哨戒させ「台湾独立派や外部勢力への警告」と銘うった海空軍大演習をおこない、日本国軍の艦船などをひきつれた米艦隊にたいする威嚇行動もつづく。

台湾をめぐっては、今年一月の総統選挙（同時に国会議員選）にさいして北京官僚どもは、たんに軍事的威嚇だけではなく、台湾産の海産物・農産物の輸入拒否という経済的威圧や台湾の企業経営者「接待」、また反スパイ法制定による政治的威圧、フェイクニュースを使った攪乱を強めてきた。香港人民にたいする中国政府の大弾圧をみせつけられてきた台湾民衆は、北京の官僚どもが謳う「一国二制度」方式での「両岸統一」なるものにたいして幻想をもたないどころか、嫌悪し憎悪している。同時にかのペロシ訪台以降の猛烈な対台湾軍事威嚇をみせつけられ、中国本土との戦争に恐怖している。一月の総統選挙で勝利した民進党の頼清徳にたいして、習近平は「台湾は必ず統一される」とほざき長期戦を構えている。

ところで、隣国北朝鮮・金正恩政権は連続的にミサイル発射実験をくりかえすだけではなく、中国政府が賛成しないことを知りながら核兵器製造に拍車をかけ「先制的核使用の可能性」さえも公言する。しかも、ロシアとの軍事協力を強化し、ロシアからのロケット技術・核技術供与への見返りとして、ロシア軍にたいして弾薬や短距離ミサイルを引き渡している。この事態を、習近平は、東アジアにおける〝米・日・韓―中・露・北〟の軍事的対立を激化させ、バイデンによる中国にたいする諸攻撃を倍加させるだけのものとみて苛だちを募らせているにちがいない。

だが、習を先頭とする官僚指導部どもは手をこまぬくだけだ。それどころではないのだ。こんにち、習近平治政下の中国じしんが深刻な経済危機にあり、これを基礎にして社会的にも政治的にも危機が醸成されつつある。こうした事態に、いまや、官僚指導部どもは苛まれているのである。

Ⅱ　出口なしの経済危機

⑴　不動産大不況

習近平による統治三期目がはじまった昨年はじめに、中国政府は、人民の白紙運動の高揚におどろきあわてて、「ゼロコロナ政策」に終止符をうった。強引な都市封鎖・行動規制により経済を〝凍結〟させ人民の不満と怒りの的になっていた政策を廃して「急速な景気回復」を策したのである。だが、それはまったくの夢に終わった。

この国のＧＤＰの三割近くをしめる不動産部門の大不況は深まるばかりだ。最大手をふくめ、不動産建設関係の多くの民営企業の倒産が相次ぎ、新規着工はほとんど皆無であるだけではなく、建設中途での工事停止はさらにひろがり、いたるところに高層マンションの枠組だけがたち並ぶ鬼城（ゴーストタウン）を生みだしている。鉄鋼やセメント、ガラスや合成樹脂などの建設素材も、人が住み暮らすための家具や家電製品も、いくら生産されても需要はない。

今日のこの大不況は、地方政府・不動産企業・地方国有銀行が結託し、膨大な債務に依拠してやみくもにおこなってきた住宅建設・都市開発という方式での経済成長の所産以外ではない。バブル膨張と過剰債務是正のための規制と、景気浮揚のための規制緩和をくりかえし、制御が困難になるほどバブルが進行してしまったなかでの〝バブル潰し〟の強行。これによってもたらされた大不況は、この安直な成長方式の最後的破綻を示すものにほかならない。

⑵　街にあふれる失業者

建設企業のもとで酷使されてきた労働者・農民工は、工事が放棄されればただちに情け容赦なく解雇される。そもそも賃金未払いは、恒常化していた。それさえ支払われずに、だ。都市部労働者・農民工の失業率は、とりわけ大卒者をふくめ若年層のそれは、五〇%にもなるだろうといわれている。昨年六月に二〇%を越えた時点で、政府は失業率の発表そのものをやめてしまったのだ。

企業の倒産・破綻はもちろん建設関連部門にとどまらない。都市部雇用の八割をカバーしている民営企業、とりわけ中小零細の企業はその多くが経営破綻に瀕している。すでに前首相・李克強のときから、中小零細企業の危機を打開するための融資の改善とか税の減免などは叫ばれてきた。再度こうした方策を語ったところで、何も変わらないことは目にみえている。

さらに、バイデン政権の中国「封じこめ」「サプライチェーン分断」政策のゆえに、米日欧などの多くの外資系企業が東南アジア諸国などに拠点を移しつつある。これに追随するかのように、EV関連などの主要な民営大企業もまた海外工場設立にのりだしている。それは中国国内の生産拠点の縮小をもたらし、大量の労働者を解雇することになる。七月に大学を卒業する者の数は、今年も史上最大を更新する。ごく一部のICT関係の技術者などをのぞけば、彼らに開かれている職場はほとんどない。すでに多くの若者が仕事につけず、せいぜい単発的にギグ・ワーカーとして糊口をしのいでいる。失業者がさらに増加するのは必至である。

(3) 貧富格差の拡大

習近平が「貧困脱却」を宣言したとたんに「貧困への逆流」が人民を襲っている。この官僚の頭目が「共同富裕」をいくら高唱しても、中国における貧富の差は縮小せず、帝国主義国アメリカを凌駕して世界のトップクラスのままだ。都市部ではむしろ拡大している。「ゼロ・コロナ」と謳っての都市封鎖や行動規制により、都市部の飲食店などサービス産業で働いていた農民工や若者の多くは職を失った。他方で、いわゆる富裕層が所有している金融資産などは町がロックアウトされても減ることはない。

そもそも農村部住民の年間収入が都市住民の半分以下という状態は、習近平治政においても変わってはいない。中央政府も地方政府も農村戸籍から都市戸籍への転籍を農民工たちに推奨してきたのであるが、ほとんど進展していない。日雇い的仕事ならばないことはない大都市、そのような都市の戸籍ならばともかく、産業も乏しく公共サービスやその施設もととのっていない小都市に移住させられ、農地請負権を譲渡して本当の無所有者になることを、農民工たちは拒絶しているのである。

都市住民たちのあいだには、こうして、次のような階層分化が生じ、それが固定化されつつある。高所得者層（ＩＣＴ企業の技術者や大国有・大民営企業の高ランク職員）――国有・民営企業に雇用され一定程度のポストを得ている労働者――中小零細企業の労働者や一応の定職を保持しえている農民工――最低所得者層（日雇い・ギグワーカー、失業もしくは半失業状態の労働者や農民工）。高所得者層と底辺の層との収入格差は約十倍といわれている。なお、党＝国家官僚や国有大企業の経営官僚、ＩＣＴ企業など民営巨大企業の資本家的経営者らは、いま述べた「分化」の枠には収まらない。その巨万の富・資産の実態は、そもそも闇のなかなのである。

また、農民工（農村戸籍者）は、医療保険や就学、年金などにかんして、都市戸籍労働者に比してきわめて不利な条件におかれている。低所得層をなす労働者たち、とりわけ農民工たちは、中国経済破綻のツケを集中的に負わされ、習近平政権にたいする怒りをたぎらせている。

⑷　無為無策

ところで、党大会翌年の秋には、経済建設の中・長期的展望を明らかにすることを主な議題にして共産党中央委員会第三次全国会議（三中全会）が開かれるのが通例である。経済はいっこうに上向かず、山ほどの経済的難問をかかえているにもかかわらず、この会議はまだ開かれておらず、いつ開かれるのかも報じられていない。

毎年末に一年間を総括して次年の経済政策の基本を確認するための中央経済工作会議は、確かに、例年どおり十二月に開かれはした。ここで習近平は「経済の回復には依然困難と試練がある」と言い、「有効需要の不足、一部業種の生産能力過剰」などを挙げはしたものの、あとは「科学技術イノベーションで現代的産業システム構築を」等々を十年一日のごとくにくりかえすだけだった。唯一新たに強調されたのは、「宣伝と世論の指導を強化し『中国経済の見通しは明るい』と鳴り響かせる」こと、であった。これこそ、無為無策の象徴というべきであろう。

三中全会を開かない理由は明らかだ。習近平らネオ・スターリン主義官僚どもは、いま現出している中国経済破綻の根拠をさぐることも、その対策を講ずることも、何もできないのだからである。

彼ら官僚指導部どもは、共産党の指導を堅持し「資本主義を大胆に利用せよ」という鄧小平の路線にしたがって「社会主義市場経済」なるものを創出してきた。今日の中国経済の危機は、この「社会主義市場経済」なるもの、すなわち〈ネオ・スターリン主義官僚専制体制にくみこまれた資本主義〉というべき政治経済体制の矛盾の一挙的噴出にほかならない。この「キメラ的な政治経済体制」を固守する中国ネオ・スターリン主義者どもがやることは、噴出する矛盾の犠牲をすべて押しつけられて怒る人民の抵抗を押さえこむ治安弾圧であり、この人民をアメとムチで生産に駆りたてること、これだけである。

(5) 治安弾圧と強権支配強化

習近平らが、経済工作会議や政治局会議で官僚どもに向かって再三強調したのは「農民工賃金の期日どおりの満額支給を保障すること」であった。ここからわかるのは、農民工たちへの賃金の支払いさえろくになされていないこと、そしてすでに怒り心頭に発する農民工たちはその怒りを爆発させる寸前だ、ということである。

習近平ら官僚指導部どもは、労働者・農民工の怒りが、党と国家の中枢を握る彼らじしんに向かってきていることを直観し、これをこそ恐れているのである。

昨年は毛沢東生誕一三〇年にあたる。その記念日を前に、いくつかの町や村で毛沢東の銅像がひそかに撤去された。「貧しくても平等だった」と、毛沢東の時代に郷愁を募らせる貧しい労働者や農民は少なくない。銅像の撤去は、こうした人びとが記念日を機に集まって現政権にたいする反発を昂じさせたり、またこのような人びとを習近平率いる現指導部に反旗をひるがえす者たちが利用してうごめきだすことを懸念してのことであろう。

実際、胡錦濤時代末期には、党の最高指導部の地位を狙った重慶市のトップ官僚がおのれの野望を実現するために毛沢東賛美の運動をまき起こしたことさえあった。「建国の父」にして「偉大な領袖」毛沢東と並ぶ絶対的な指導者として自己をおしだし権威づける習近平には、人民の・あるいは他の党員の毛沢東讃歌はおのれを〝低める〟危険なものと感じられるのである。

ところで、党総書記三期目に踏みだした習近平を迎えたのは、習近平政権の強権的な人民統制や弾圧に抗議して「白紙」を掲げた学生・労働者の「習下台!」「共産党退陣!」の怒りの声だった。習近平は、人民の怒りが党と国家の最高指導部に向かっていることを実感しないわけにはいかなかっただろう。香港民衆の抵抗を急きょでっちあげた「国家安全法」をタテにして重武装の弾圧部隊をもって弾圧し圧殺したとしても、いや、そうしたがゆえになおのこと、北京官僚への怒りは香港だけではなく中国全土の虐げられた人民の心の底にひろがっている。ネオ・スターリン主義党=国家官僚のこの頭目は、官僚の嗅覚をもってこのことを感じとり、この人民を憎悪すると同時に恐怖する。第三次習近平政権を発足させたこの官僚がおこなってきたことといえば、それは、強権的治安弾圧のいっそうの強化、すなわち一連の治安弾圧法の改定=強化であり、その即刻の施行なのである。

「反スパイ法」の改定。この法律の適用対象をほとんどすべての経済社会活動に拡大し、かつ「反スパイ活動」を全国民の義務とした。誰を「スパイ」として処罰するかは彼ら官僚の欲するままであり、人民には相互監視が、親・兄弟を「スパイ」として密告することが強要される。さらに「治安管理処罰法」の改定。「中華民族の精神を損ない、中華民族の感情を傷つける」言動なるものが、処罰の対象にされる。それこそ、この適用対象は無制限だ。

そして、この「中華民族の精神」「中華民族共同体」イデオロギーへの忠誠を人民にたたきこむための「愛国主義教育法」が、この一月一日をもって施行されている。あらゆる学校教育ではもちろん、企業や諸機関、住民組織や諸団体すべてにおいて「愛国・愛党」に全員を服させる、というのだ。

すでに香港では、中央政府の強権支配に抵抗する運動の中心メンバーとみなされた人びとは「国家の安全」を破壊した「暴徒」すなわち敵と烙印されて逮捕され、生涯獄に閉じこめられようとしている。逮捕を逃れた者は懸賞金付きで指名手配だ。新疆ウイグル自治区において習近平政権は、「中華民族」と自称する漢族への同化の強制をよしとしないウイグル人を「テロリスト」と断罪し、「愛国・愛党」に少しでも異を唱えそうなウイグル人は摘発——漢人の党員が「親戚」として各家庭に入りこむ「親戚制度」も活用して——し、「矯正」「職業訓練」という名の強制収容所に送りこんできた。その数は一〇〇万人を優に越えるという。香港人民やウイグル人民にたいして実行してきたこのような弾圧・強権統治を、中国全土で実行し、さらに強化しようとしているのである。

それにしても「反スパイ法」とはよくも言ったものだ。おのれが率いる中国共産党とこの党が握る中国国家に異を唱えたり、反対したりする中国の勤労人民は「スパイ」、アメリカの手先、アメリカによる「和平演変」の手兵であり、国家暴力装置の発動をもって圧殺し処罰・処刑する、というのだ。これこそは、かつて一九八九年に「民主化・自由化」を要求して天安門広場を埋めつくした数十万学生・労働者・人民の決起を「暴乱」と断罪し、スターリン主義常備軍によって大虐殺したスターリン主義官僚・鄧小平と同一の論理である。反労働者的・反人民的本性をむきだしにしている習近平らネオ・スターリン主義者どもを、世界の労働者階級は絶対に許してはならない。

Ⅲ 「習近平体制」瓦解のはじまり

昨年末の政治局会議における経済問題と並ぶもう

一つの議題は「反腐敗のとりくみ」であった。

昨年三月に発足した第三期習近平政権の中心的閣僚として抜擢された外相・秦剛と国防相・李尚福は、半年もしないうちに姿を消し解任された。

いずれも解任理由は公表されていないが、前者にかんしては、駐米大使時代の〝不倫・アメリカで産ませたその子供〟が外相就任後ほどなくして暴露され、それが理由だとささやかれている。官僚の不倫や隠し子は日常茶飯事だとはいえ、駐米大使の・しかもアメリカでのそれとなると、話は別だ。昨年末に中央外事工作会議が急きょ五年半ぶりに開かれたのは、この問題に関連して外交官たちを引き締めタガをはめるためだったのであろう。

後者・国防相の解任は、いまや、中国軍、とりわけその最先端をなす戦略ミサイル部隊「ロケット軍」や、中央軍事委員会直属の装備発展部（兵器の開発や調達を任務とする）、さらに宇宙関係の大国有軍需関連企業にひろがる汚職疑惑をよびおこし、軍を、党を、習近平を頭とする中国の政治支配体制そのものを激震させている。

一月早々に開いた中央規律検査委員会総会において習近平は「反腐敗闘争の情勢は依然として深刻かつ複雑だ」と語り、「汚職摘発」を徹底するように指示をした、という。だが今回の「汚職摘発・反腐敗」は、党総書記に就任した習近平が江沢民派系の旧指導部のトップ官僚どもを「不正蓄財」を理由に粛清した「反腐敗」闘争（二〇一四～一六年）の継続なのでは決してない。習近平じしんが抜擢し任命した者たちが暴露され摘発され調査されているのである。習近平じしんの責任が問われるのだ。規律委員会総会における習近平の憔悴しきった顔が、それを示している。

汚職の舞台になっている現在の中国軍の構成・指導体制は、総書記として党の主導権を握った習とその一派が、軍指導部の旧トップを「規律違反」（「買官」や「収賄」）で逮捕・粛清して強引に実行した「軍改革」（二〇一五年十二月）をもってつくられたものである。習近平はその後、幹部任免をふくめ諸々の決定権限を中央軍事委員会主席たる自己に集中させてきた。いま贈収賄の温床として槍玉にあげられている軍と国有企業との癒着、これもまた、習近平らが「先端技術導入による強軍化」のために、莫大な国家資金を投入して推進してきた「軍民融合」の所産にほかならない。

「反腐敗」を呼号する習近平とその一派をふくめ、このネオ・スターリン主義党のなかに贈収賄や職権濫用と無縁な者などは存在しない。それゆえに「腐敗行為」の暴露が、この腐臭をはなつネオ・スターリン主義党の党内＝権力抗争の主たる手段になっている。先の第二十回党大会において習近平は、前首相・李克強をむりやり引退させ、彼につらなる共青団系の官僚すべてを強引に排除し、習近平派とその周辺だけで固めた党最高指導部（政治局委員、同常務委員会委員）を形成したのだった。党内部では、この習近平一派にたいして、その強引な党運営や、その内外諸政策にたいして、反発や反感が渦まいている。明らかに今、この党の内部では官僚諸グループ間の、おのれの地位や特殊的利害をかけた醜悪な党内＝権力抗争が激烈化しているのである。

習近平とその一派は、このおのれの危機をのりきるためにも、勤労人民の一切の反抗を許さない強権的人民支配をいっそう強化しようとするだろう。そのおのれを、そして自身がそのトップの座を握る党と国家とを権威づけるために、許しがたいことに、「マルクス主義」をもちだすのだ――「マルクス主義は立党立国、興党興国の根本的指導思想だ」などと言いなして。この官僚が言う「マルクス主義」とは、マルクスの思想を、「プロレタリアート自己解放」の思想を、根底から破壊したエセ「マルクス主義」すなわちスターリン主義でありその中国版以外ではない。

中国の労働者・人民は、彼らネオ・スターリン主義官僚どもの反プロレタリア的本質を自覚し、この党を解体して中国ネオ・スターリン主義国家打倒をめざして前進しなければならない。この暗黒の世界を転覆し労働者階級の自己解放をめざして、われわれは、中国の・そして全世界の労働者・人民とともにたたかう。〈反帝国主義・反スターリン主義〉の旗のもと、ともにたたかおう！

EVの墓場

中国自動車輸出「世界一」の闇

二〇二四年一月十一日に、中国自動車工業協会は、昨二三年の自動車輸出台数を発表した。前年比五七・九%増の四九一万台となった、と。日本（昨年一月〜十一月の輸出台数三九九万台。年間四〇〇万台前半にとどまると予測される）を陵駕し、世界一の輸出台数となることが確実となった。ドイツを抜いて第二位となったのが一昨年であったが、わずか一年で日本をも追いこして世界一の輸出国となった。輸出増加を支えているのが、電気自動車＝新エネルギー車の輸出である。中国の自動車輸出の四分の一は新エネルギー車（註1）である。

「社会主義現代化強国」をめざす習近平政権は、内燃機関搭載の自動車製造では技術の蓄積が豊富な日・欧・米の自動車メーカーの技術力に太刀打ちできないと判断し、自動車製造の「覇権」を確立するために、世界的に開発の途についたばかりのEV仕様の自動車開発を早くから国策と定め、中央・地方政府こぞってEV自動車製造にたいする手厚い保護の諸施策を施してきた。

EVの製造にたいしてだけでなく、EVの需要を喚起するためにEV購入補助金（二二年に終了）や購入税（購入価格の一〇%）の免除（二三年末で終了）、ナンバープレート規制の緩和（註2）など電気自動車普及の補助策を惜しげなく実施した。それだけではなく充電ステーションや充電ネットワークなどEV走行の環境をも整備してきた。

こうした国をあげての追求により、自動車産業は、バッテリー技術、充電インフラ、電動駆動システム、スマートモビリティなど産業全体のサプライチェーンが整備され、中国はEV大国へとなりあがった。この過程で、EVの航続距離・充電速度・自動運転などの諸技術で高い国際競争力を培ってきた。この結果が今日の輸出数につながったということができる。

労働者を襲う解雇・レイオフの嵐

国をあげた自動車製造「覇権」確立のためのEV大国化の追求は、他面で中国国内に抜きがたい矛盾を醸成することとなった。

中央政府の号令のもとに各省・各都市の政府がこぞって、補助金という札束の人参を鼻先にぶら下げて自動車メーカーの誘致を競いあった。広州地区、上海を中心とした華東地区、武漢を中心とした中部地区などに六大自動車産業集積地を形成すると同時に、省・市レベルで全国一〇〇ヵ所以上の自動車工業団地を造成した。その結果、外資との合弁大手の自動車会社、中国企業の大手、新興EV自動車会社、アリババや小米(シャオミ)など他産業からEV製造に進出した自動車会社、補助金目当ての会社などが――それがEV車というだけで手厚い補助が施されて――数多の自動車をこれらの工業団地から市場に送り出す。

だがその行き着く先の一つが「自動車の墓場」「EVの墓場」である。生産したが使われない、市場にも出されないEVが多大に現出した。浙江省の杭州市で、安徽省で、広東省で……。新品のEVが、数百台あるいは数千台にものぼる車が野原や空き地に放置され、その姿がSNSで拡散されている。〝EVの墓場〟と喧伝されているのが、それである。

中国の自動車生産能力は、二二年末で四三〇〇万台生産可能といわれているが、自動車工場の稼働率は五四・五%にとどまり、一七年の六六・六%から著しく低下した。中央・地方をあげた自動車工場の誘致合戦の帰結として、自動車各社は過剰設備を抱えこんだ。このゆえに、自動車企業間の競争が激化し、大幅な値下げ(註3)にもかかわらず国内販売は伸びず――二三年一~七月に輸出は前年比八一%増だが国内販売は一・七%増にとどまっている――在庫の山が築かれる。したがって、輸出世界一の裏面では自動車産業で倒産が相次いでいるのである。とりわけ、新興EVメーカーの倒産が際立っている。このゆえに膨大な数の労働者が路頭にまよっているのだ。

他方、倒産を免れた企業はどうか。自動車産業で働く労働者は三〇〇〇万人だが、今、労働者に解雇・転籍・レイオフの凄まじい嵐が襲っている。ちなみに、中国に進出しＥＶ開発競争にたち後れた三菱自動車・トヨタ自動車などは、現地中国で数千人を解雇している。それだけではなく、ＥＶ車の値下げ合戦の影響もあり、労働者の賃金は二〇一六年の三分の一に低下した。またサプライチェーンの下請け企業はどうか。自動車部品メーカーの数は一〇万社をこえる。この七四％が自動車メーカーからコスト削減を要求され悲鳴をあげ、そのしわよせは労働者に転嫁されている。

「社会主義現代化強国」の奈落

テスラの販売数を超えたＢＹＤ（比亜迪）のような中国の特定のＥＶメーカーは世界的な企業に発展した。しかし、その影で実に多くの企業が奈落の底に落とされ、労働者が貧窮に叩きこまれている。その象徴こそが〝ＥＶの墓場〟なのだ。しかし、これは「社会主義現代化強国」をめざす習近平政権が、自動車・ＥＶ生産の世界一を実現する企業をとにもかくにも創りだすために血税を注ぎこみ中央・地方政府を動員した自動車産業保護の諸政策を実施した結果なのである。北京ネオ・スターリン主義官僚がすすめる「社会主義現代化強国」づくりの反人民性が一点の曇りもなく明らかではないか。

松濤文太郎

註1　中国における新エネルギー車（New Energy Vehicle）とは、ＢＥＶ（バッテリー式電気自動車＝純電気自動車）、ＰＨＥＶ（プラグインハイブリッド自動車）、ＦＣＥＶ（水素を燃料とする燃料電池自動車）をさす。

註2　大気汚染が激しい中国では、自動車の排ガスを規制するためにナンバープレートの発給を制限している。ＥＶはナンバーを緑にして内燃機関自動車と区別して、発給制限の対象からはずした。

註3　二三年の年頭にテスラが中国で生産する「モデル3」を値下げしたのを皮切りに、中国のＥＶメーカーも値下げに踏み切り、「値下げ合戦」となった。テスラは二三年だけで、三回にわたって値下げをした。

国際・国内の階級情勢と革命的左翼の闘いの記録（二〇二三年十二月～二〇二四年一月）

国際情勢

12・1　イスラエル軍がガザ攻撃再開、ハマスは徹底抗戦宣言。ヒズボラがレバノンからイスラエル軍攻撃
▽ロシア軍兵員を最大17万人増やし132万人規模にする大統領令にプーチンが署名
12・2　ＣＯＰ28首脳級会合（ドバイ）の場で米日など21ヵ国が50年までに原発3倍化を宣言
▽韓国国防省が偵察衛星の初打ち上げ成功と発表
12・3　紅海南部で商船3隻がフーシから攻撃される
12・4　**バイデンがウクライナ支援資金予算措置を求めるが共和党は拒否。資金は年末で「枯渇」**
▽ミャンマー国軍最高司令官ミンアウンフラインが反政府勢力に「政治解決」を呼びかける。軍が劣勢に
12・6　**イスラエル軍がガザ南部ハンユニスを総攻撃**
▽国連事務総長グテレスが安保理にガザ「人道的休戦」要請。米の拒否権発動で休戦提案は否決（8日）
▽米軍が全世界で配備中のオスプレイの飛行を停止
▽プーチンがＵＡＥとサウジアラビアを訪問、中東情勢・原油価格について協議。7日にはモスクワでイラン大統領ライシと会談
12・7　イスラエル軍がガザ北部ジャバリヤでパレスチナ人数百人を拘束し裸で連行
12・9　ＥＵの欧州委員会が人工知能を包括的に規制する「ＡＩ法案」を大筋合意と発表
12・10　香港区議会選挙。立候補者は親中派のみ
12・11　中国で中央経済工作会議開催（～12日）。「不動

国内情勢

12・1　自民党安倍派の政治資金パーティーの不正処理を東京地検特捜部が捜査と各紙報道。5年間で数億円を所属議員に還流し裏金に
▽「連合」中央委員会で統一賃上げ要求目安「5％以上」などの24春闘方針を決定
12・4　首相・岸田文雄が19年（当時自民党政調会長）に元米下院議長ギングリッチと面談し統一協会の梶栗正義らも同席と『朝日』が報道
12・5　旧統一協会の被害者救済法案が立憲、共産も賛成し衆議院で可決。参議院で可決・成立（13日）。包括的財産保全の規定なし
12・8　**東京地検特捜部が官房長官・松野博一を安倍派資金パーティー収入をキックバックし裏金化していた疑惑で捜査中との報道。国対委員長・高木毅、政調会長・萩生田光一、参院幹事長・世耕弘正、経産相・西村康稔ら安倍派「5人衆」の疑惑も浮上**（9日）
▽10月の実質賃金が19ヵ月連続でマイナス
12・9　国家安全保障会議（ＮＳＣ）局長・秋葉剛男がソウルで米韓の安全保障担当高官と協議
12・13　国立大学法人法改定案が参院で可決成立
▽衆院で岸田内閣不信任決議案否決。国会閉会
12・14　岸田が「裏金」問題で官房長官・松野ら安倍派の4閣僚を更迭。安倍派の副大臣、政務官が辞表提出

革命的左翼の闘い

12・1　福岡反戦青年委員会が九州防衛局（福岡市）に「米軍オスプレイ墜落事故弾劾！　陸自オスプレイの佐賀空港配備阻止！」の怒りの拳
12・2　琉球大学学生会・沖縄国際大学学生自治会・鹿児島大学共通教育学生自治会が「辺野古大行動」（主催・オール沖縄会議）に決起。「辺野古埋め立て阻止、『代執行』を許すな」の雄叫び
12・10　首都圏のたたかう学生が国会前の「パレスチナに平和を！　緊急行動」に起つ。「国立大学法人法改悪反対、岸田政権打倒」をも掲げ１５００名の先頭で奮闘
12・11　琉大学生会と沖国大自治会が米軍嘉手納基地前で、ＣＶ22オスプレイ墜落事故に抗議し無人偵察機ＭＱ９の撤去を求める抗議集会（沖縄平和運動センター・中部地区労・第四次嘉手納基地爆音差止訴訟原告団の共催）に起つ
12・12　全学連が国立大学法人法改悪案の参議院文教科学委員会での採決に反対し国会前闘争に唯一決起
12・13　全学連が首相官邸前で国大法改悪案の参院本会議採決を弾劾し、「戦争

産リスクの解決」などを協議
▽ポーランドで野党連合のトゥスクを新首相に選出
12・12 国連総会緊急特別会合でイスラエル・ハマス双方に即時の「人道的停戦」などを求める決議を採択
▽バイデンが訪米したゼレンスキーと会談し「揺るぎない支援」を約束
▽習近平が6年ぶりにベトナムを訪問。習は「中越運命共同体」構築と称してベトナムを懐柔
12・13 COP28が会期を1日延長し閉幕（1日〜）。化石燃料の「廃止」を「脱却」に変えた文書を採択
12・14 **プーチンが2年ぶりに大規模記者会見。ウクライナの「非ナチ化・非軍事化」「オデッサはロシアの街だ」と発言。大統領選出馬を宣言**
▽中国外務省がミャンマー軍事政権と3少数民族武装勢力が一時停戦に合意と発表
12・17 北朝鮮が短距離弾道ミサイル1発を発射。18日には長距離弾道ミサイル「火星18」を発射
12・25 イスラエルがイラン革命防衛隊幹部ムサビをシリア・ダマスカスで爆撃し殺害。イランが報復宣言
12・29 ロシア軍がウクライナ各地で侵攻後最大規模の攻撃。ウクライナは30日にかけてロシア西部に砲撃
1・1 ネタニヤフ政権が昨年7月に強行採決した司法制度見直し案をイスラエル最高裁が無効と決定
1・2 ロシア軍がキーウとハルキウに大規模爆撃
▽イスラエルがハマス幹部7人をレバノンでドローン攻撃し殺害。ヒズボラが報復としてイスラエル北部の基地をロケット弾で攻撃（6日）。イスラエルはレバノン南部への空爆でヒズボラ司令官を殺害（8日）

▽自公が与党税制改定大綱を決定
▽防衛相・木原稔が英・伊国防相と会談し次期戦闘機の共同開発機関設立を合意
12・16 日本ASEAN特別首脳会議（〜17日、東京）で岸田が5兆円の投資実施などを表明
12・17 『毎日新聞』の世論調査で内閣支持率16%
12・18 日本製鉄が米USスティール買収と発表
12・20 福岡高裁那覇支部が辺野古新基地工事設計変更の承認を沖縄県知事に命じる判決
▽ダイハツが車両認証試験の不正を認め全車種の生産・出荷を停止
12・21 鹿児島県知事が川内原発1、2号機の運転20年延長を了承
12・22 **閣議で防衛移転三原則とその運用指針を改定しライセンス生産の完成品輸出を解禁。NSCでパトリオットの対米輸出を決定**
12・25 東京地検特捜部が安倍派幹部（塩谷立、松野、萩生田、世耕、高木、西村、下村博文）の事情聴取開始
12・27 東京地検特捜部が安倍派衆院議員・池田佳隆、同参院議員・大野泰正の強制捜査開始
▽東電柏崎刈羽原発の運転停止命令（テロ対策是正）を原子力規制委員会が解除
12・28 **国土交通相・斉藤鉄夫が辺野古基地工事設計変更申請の承認の代執行を強行**
▽東京地検特捜部が公職選挙法違反容疑で元自民党衆院議員・柿沢未途を逮捕
1・1 石川県能登半島でM7・6、最大震度7

と貧窮と圧政を強制する反動岸田政権を打ち倒せ」と戦闘宣言
12・14 沖縄県学連と県反戦がヘリ基地反対協・海上行動チームの最先頭で辺野古新基地建設阻止海上大行動に決起
12・15 沖縄県学連が自民党沖縄県連（那覇市）に「岸田ネオ・ファシズム政権打倒」の怒りの拳。わが同盟沖縄県委員会が県庁前ひろばで情宣
12・16 神戸大生の会と奈良女子大学学生自治会が「パレスチナに自由を！関西緊急アクション」（大阪市）に参加し「ガザ人民虐殺弾劾」の雄叫び
12・19 神戸大生の会と奈良女大自治会が「END GENOCIDE！パレスチナに平和を！緊急集会」（主催・おおさか総がかり行動実行委、大阪市）に起つ。わが同盟が「岸田政権打倒」の情宣
▽わが同盟が福岡市天神で岸田政権打倒を訴え街頭情宣
12・20 琉大学生会と沖国大自治会が辺野古埋め立て「代執行」訴訟の反動判決弾劾集会（主催・オール沖縄会議、那覇市県民ひろば）で奮闘
▽わが同盟が金沢市香林坊で岸田政権打倒をよびかけ街頭情宣
12・24 わが同盟が名古屋市栄で岸田政権打倒をよびかけ街頭情宣

1・3 **イランでおこなわれた革命防衛隊元司令官の追悼行事中に爆発、84名死亡。4日にＩＳが実行声明**

▽ウクライナとロシアがそれぞれ200人超の捕虜交換

1・4 イラク駐留米軍がイラクやシリアで活動する親イラン武装組織の指導者2人を空爆で殺害

1・5 北朝鮮軍が黄海上で射撃訓練。「対抗措置」と称して韓国軍も北方限界線付近の海上で射撃訓練

1・8 ニューヨークでイスラエル軍のガザ侵攻と米軍の武器供与に抗議した325人が逮捕される

1・9 フーシが紅海の国際航路上の商船に向け無人機18機、ミサイル3発で最大の攻撃。米英艦隊が撃墜

1・11 米英軍がイエメンのフーシの軍事拠点を爆撃。バイデンは議会承認を求めず強行

1・13 台湾総統選で与党の民進党副総統・頼清徳が初当選。立法院選では国民党が第1党

1・14 北朝鮮が「固体燃料使用・極超音速型」中距離ミサイル1発を発射。28日に東部の海上で潜水艦発射型戦略巡航ミサイル2発を発射。30日には黄海に向け巡航ミサイルを発射

1・15 米大統領選挙の共和党予備選初戦のアイオワ州党員集会でトランプが51％を獲得し大勝

▽**金正恩が最高人民会議で憲法に「韓国は第1の敵対国、不変の主敵」と明記すべきと演説**

▽米の非公式代表団が台湾で次期総統・頼清徳と会談

1・16 北朝鮮外相・崔善姫がロシアでプーチン、外相ラブロフとそれぞれ会談。プーチンが早期訪朝の意向と朝鮮中央通信が報道（21日）

▽イラン革命防衛隊が幹部ムサビ暗殺への報復としてイラク・クルド自治区のモサド拠点をミサイル攻撃

の巨大地震と津波発生。志賀原発1、2号機の変圧器破損で電源喪失の危機

1・2 羽田空港C滑走路で日航機が海上保安庁機に衝突・炎上。海保機の5名死亡

1・7 陸上自衛隊空挺部隊が千葉県習志野演習場で米など7ヵ国と合同演習

▽東京地検特捜部が池田と政策秘書を政治資金規正法違反で逮捕

▽外相・上川陽子がウクライナを訪問。ゼレンスキーと会談し支援継続・復興参画を表明

1・9 陸上自衛隊幕僚副長が公用車を使用し部下20人と勤務日に靖国神社参拝

1・10 **防衛省が辺野古北側の大浦湾で埋め立て工事を強行。県知事・玉城デニーが抗議**

▽訪米中の自民党副総裁・麻生太郎が記者団に「台湾有事に海自艦船派遣が必要」と言明

▽岸田が「政治刷新本部」を設置。安倍派議員が最多で10人、うち9人が裏金疑惑の当事者

1・11 自動車総連が6年連続で春闘統一要求を見送り

1・14 首相・岸田が震災2週間後に初めて被災地を視察。「今ごろ来たのか」と罵声あびる

1・15 海上自衛隊が米原子力空母を含む米韓両海軍と済州島南方で合同訓練を開始（～17日）

1・16 経団連が『経労委報告』を発表

1・18 岸田が自派閥「宏池会」の解散を宣言

▽日共第29回大会（15日～）閉会。新委員長に田村智子、議長に志位和夫、不破哲三は引退

▽日米政府が米製巡航ミサイル「トマホーク」

12・28 沖縄県学連が大浦湾埋め立て「設計変更」「承認」の政府による「代執行」を弾劾し、労働者・市民とともに辺野古キャンプシュワブ・ゲート前で座り込み・デモ

1・10 全学連が首相官邸前で「能登地震被災民見殺しを許すな！志賀原発をただちに廃炉にせよ」と怒りの拳

1・12 **沖縄県学連と全学連派遣団がキャンプ・シュワブのゲート前で開催された「代執行埋め立てを許さない県民集会」（主催・オール沖縄会議）に参加し労働者・市民の最先頭でたたかう。**県反戦労働者が参加する海上行動チームは大浦湾への石材投入実力阻止闘争に決起。わが同盟が「安保破棄！岸田政権打倒！」の檄

▽首都圏のたたかう学生が首相官邸前での「代執行による大浦湾埋め立て着工許さない！終日行動」（主催・辺野古の海を土砂で埋めるな！首都圏連絡会）に結集、「反安保」の息吹

▽金沢大学共通教育学生自治会が国学院大生とともに、自民党石川県連（金沢市）に「岸田政権の能登半島地震被災者見殺しを許さない！大浦湾埋め立て弾劾」の拳

1・19 わが同盟が「あいち総がかり行

1・17 中国23年GDP5・2%増。人口は2年連続減

1・20 イスラエル軍がイラン革命防衛隊の上級軍事顧問ら5人をシリアで殺害。イランは報復を明言

1・22 イスラエルがハマスと全人質解放と引き換えで最長2ヵ月の休戦を提案と米メディアが報道

▽米英両軍がイエメンのフーシの8拠点を攻撃。豪・カナダ・オランダ・バーレーンが支援

1・23 **トルコ議会がスウェーデンのNATO加盟を承認。ハンガリーのオルバンも加盟支持**（24日）

▽米ニューハンプシャー州の大統領予備選でトランプが連勝。元国連大使ヘイリーは撤退を否定

1・24 ロシアが「ウクライナ兵捕虜65人」搭乗の軍輸送機をウクライナ側がミサイルで撃墜と発表

▽3万人が避難するハンユニスの国連施設をイスラエル軍が砲撃、12人死亡

▽アルゼンチンでミレイ政権の民営化や補助金廃止などの経済改革策反対のストライキ、150万人が参加

1・26 米大統領補佐官サリバンと中国外相・王毅がタイで会談（～27日）、台湾情勢をめぐって応酬

1・28 ヨルダン北東部の米軍拠点への無人機攻撃で米兵3人が死亡。バイデンは「責任をとらせる」と主張

▽マリ、ブルキナファソ、ニジェールの親露3ヵ国が親欧米の「西アフリカ諸国経済共同体」から脱退

1・29 香港の高等法院（高裁）が恒大集団に清算命令

1・31 「反戦」を掲げ露大統領選出馬を宣言した元下院議員ナデジディンが候補者登録に必要な10万5000人分の署名を中央選管に提出（2・8登録拒否）

▽米FRBが4会合連続となる政策金利据え置き決定

を最大400発・計1694億円で購入し25～27年度に納入する契約を結ぶ

1・19 東京地検特捜部が安倍・二階・岸田各派の会計責任者らを起訴。幹部議員はすべて立件せず。安倍派が解散を決定、二階派も

▽総務省発表の2023年平均の消費者物価指数の上昇率が3・1%と41年ぶりの高さに

1・22 日経平均株価終値が3万6000円台、バブル以後最高値

1・23 日銀が金融政策決定会合、金融緩和継続

1・24 経団連主催「労使フォーラム」で「連合」会長・芳野友子が物価引き上げを求める

1・25 自民党「政治刷新本部」が「中間とりまとめ」を発表、「派閥」解消を宣言。自民党森山派が解散。小渕優子らが茂木派から退会

1・28 官房長官・林芳正が沖縄訪問、玉城の辺野古新基地建設中止要求を拒否

1・29 トヨタ自動車グループの豊田自動織機がディーゼルエンジン3機種の性能試験で不正と発表。トヨタは国内外10車種の出荷停止

▽日・独政府が「物品役務相互提供協定」に署名

1・30 首相・岸田が衆参両院本会議で施政方針演説。「任期中の改憲実現」を宣言

▽岸田政権が経済安保として身辺調査（「セキュリティー・クリアランス」）制度を特定秘密保護法と一体で運用する法案の提出を指示

▽沖縄県と政府が「武力攻撃の恐れ」との想定で先島諸島住民の九州・山口への図上避難訓練

動」主催の「こんな政治でいいのか！自民党政治を終わらせよう」集会（名古屋市）に「岸田政権打倒」の檄

1・21 北海道大学の学生がたたかう労働者とともに札幌駅前で「能登半島地震被災民見殺しを許すな！ウクライナ侵略反対！ガザ民衆虐殺弾劾！大浦湾埋め立て反対」の情宣

1・27 沖縄県学連が自民党沖縄県連（那覇市）に「辺野古新基地建設阻止！震災被災者見殺し弾劾！岸田政権打倒！」の怒りのデモ

▽奈良女子大自治会・神戸大生の会が自民党大阪府連（大阪市）、在大阪・神戸アメリカ総領事館（大阪市）に連続闘争。「震災被災民見殺しの岸田政権打倒！」「米軍のフーシ空爆弾劾！」の雄叫び

▽関西のたたかう学生が「パレスチナに自由を！関西緊急アクション」（大阪市）の集会・デモに参加し「イスラエルのガザ人民大虐殺弾劾！ロシアのウクライナ侵略を打ち砕け！」と訴える

新世紀 総目次 第321号（2022年11月）〜第330号（2024年5月）

第321号（2022年11月）

○巻末年表　2022年８月～９月

第322号（2023年１月）

巻頭カラーグラビア　改憲阻止、ウクライナ反戦に起つ
無署名　断末魔プーチンのあがきを粉砕せよ
無署名　ウクライナ全土へのミサイル攻撃弾劾！
梅林芳樹　〝反米・忌米〟後発諸国の糾合に狂奔した習近平――上海協力機構（SCO）サミットの示したもの
中央学生組織委員会　憲法改悪・大軍拡を阻止せよ　ウクライナ反戦の火柱を！
無署名　「新しい資本主義」の名による貧窮強制を許すな

<ネオ・ファシスト安倍の「国葬」弾劾！>

1　自民党・清和会と統一協会との黒い癒着
2　森友・加計・桜ゲート――疑獄まみれの軍国主義者
3　<軍国日本>再興と対中戦争準備への突進
4　首相・NSC専決の強権的支配体制の飛躍的強化
5　労働者・人民を貧窮に突き落とした「アベノミクス」

早瀬光朔　プーチンの大ロシア主義――領土強奪戦争のイデオロギー
Workers' Orgburo　Together with Ukrainian People

<反革命＝北井一味を粉砕せよ！>

無署名　第四回　座談会II　北井の組織実践の狂いと異常な精神世界
白嶺　聖　第五回　北井・糸色と心中する椿原一夜郎自大と虚勢の果てに
上田琢郎　第六回　己れの犯罪に頬被りする北井を弾劾する
○第60回国際反戦集会　海外からのメッセージ（原文、続き）

第323号（2023年３月）

巻頭カラーグラビア　革マル派結成60年更なる飛躍を
平川　桂　戦争の時代を革命の世紀へ　革マル派結成六十年―世界大戦の危機を突破せよ
ウクライナから、ロシアから　そして全世界から　わが同盟に熱いメッセージ
前原茂雄　12・４革共同政治集会特別報告　革マル派結成から六十年を迎えて―わが反スタ運動の原点を追体験しさらに飛躍しよう
無署名　「安保三文書」の閣議決定を弾劾せよ！
飛鳥井千里　「リスキリング」とは何か？
篠路　憂　<脱グローバル化>への構造的激変――インフレに揺れ危機を深める現代世界経済
水森薫子　中国共産党第二十回大会――人民の怒号に包まれた習近平「一強」体制
〔コラム〕　不動産バブル崩壊で中国人民の怒り爆発
無署名　22年７月上旬～12月　ロシアの軍事侵略を打ち砕いたウクライナ軍・人民の戦い
〔日誌〕　ロシアの侵略とウクライナ軍・人民の戦い
無署名　「神戸事件」の全記録廃棄＝権力犯罪の隠蔽弾劾！

<反革命＝北井一味を粉砕せよ！>

前原茂雄　第七～八回　狂気と妄想の〝黒田批判〟――『挫折の深層』の反革命性
二〇二三年新春特別企画／漫画「戦争転変革命之圖」登場人物発言集
○巻末年表　2022年10月～11月

第324号（2023年5月）

第325号（2023年7月）

〇二三年版『連合白書』の反階級性
清春麻子　政府への「賃上げ」請願に春闘を歪曲する「全労連」指導部を弾劾せよ
岸辺　学　私鉄総連本部・大手ダラ幹どもの超低額妥結弾劾！
南原　裕　私鉄春闘　総連本部の「交通政策要求実現」運動への歪曲を許すな
岩瀬健治　全トヨタ労連23春闘――物価高騰と産業再編に抗したたかおう
高松　登　春闘を「価格転嫁」要請運動に歪曲するJAM中央
花形　哲　NTT春闘　超低率要求を掲げる本部を許すな
郷本　保　出版二三春闘の戦闘的高揚をかちとろう
鳥海　涼　郵政春闘の超低額妥結を弾劾する
海藤史郎　郵政春闘　大幅一律賃上げをかちとれ――「事業の持続性確保」のための労使協議への歪曲を許すな
○巻末年表　2023年2月～3月

第326号（2023年9月）

巻頭カラーグラビア　大軍拡阻止、ネオ・ファシズム粉砕
無署名　大軍拡・改憲・安保強化の極反動攻撃を粉砕せよ！――岸田日本型ネオ・ファシズム政権打倒めざして闘おう
無署名　反戦反安保・改憲阻止の闘いを！　＜プーチンの戦争＞を打ち砕け
無署名　米比合同演習バリカタン――対中包囲網へのフィリピン抱き込み

＜岸田政権の反動諸法制制定を弾劾せよ＞

無署名　大軍拡「財源確保法」の制定を阻止せよ
無署名　軍需産業基盤強化法の制定弾劾！
無署名　OSA新設――恒常的な途上国軍事援助を制度化
無署名　原発推進法の制定を弾劾せよ
無署名　マイナンバーカード取得強制を粉砕せよ
無署名　外国人難民を排斥する入管法改定を許すな

無署名　ワグネルの反乱　揺らぐロシア支配体制
瀧川　潤　「ロシアの敗北」を曝けだした5・9対独戦勝記念式典
無署名　プーチン政権によるカホフカ・ダム爆破弾劾！
国際反戦集会実行委員会　第61回国際反戦集会　海外へのアピール――米―中・露激突下の核戦争の危機を打ち破る反戦闘争を！
藤沢浩市　日本スターリニスト党の四分五裂――〝松竹除名〟問題の意味するもの
茅ヶ崎洋　日共式「岸田大軍拡反対」方針の反労働者性
斯波顕太　軍事強国化と一体の岸田式「新しい資本主義」
飛鳥井千里　「DX」と大失業・ギグワーカー化
竹下　徹　「生成AI」狂騒劇――労働者・人民への一切の犠牲強制を許すな
最上暁一　新型コロナ感染症「五類」への引き下げ――岸田政権の感染対策放棄・社会保障切り捨てを許すな
郵政労働者委員会　JP23春闘の超低額妥結の労組大会での承認を否決せよ！
狩野　勝　電機春闘　ジョブ型制度緻密化のための労使協議への解消

第327号（2023年11月）

セージ（２）＞

FLTI－第四インターナショナル再創造集団　ウクライナ征服・隷属を企むプーチンの侵略戦争を許すな

LALIT（モーリシャス）　戦争反対・米軍基地撤去　諸君と連帯し闘う！

第四インターナショナル書記局　バイデンの〝勝利〟もプーチンの〝勝利〟も望まない

ヴィクトル・フォードロビッチ・イサイチコフ（ロシア）「マルクス主義政綱」『啓蒙』誌編集長　われわれが戦争に勝利するのか　戦争がわれわれに勝利するのか

○第61回国際反戦集会　海外からのメッセージ（原文、続き）

○巻末年表　2023年８月～９月

第 329 号（2024 年 3 月）

巻頭カラーグラビア　イスラエルのガザ人民大虐殺を許すな！　＜プーチンの戦争＞を打ち砕け！

無署名　暗黒の世界を革命的に転覆せよ──反帝・反スターリン主義の旗高く前進せん！

中央学生組織委員会　安保強化・改憲を粉砕せよ──＜プーチンの戦争＞を打ち砕け　ガザ人民ジェノサイド弾劾！　岸田反動政権を打倒せよ

マル学同革マル派、マル学同東海地方委員会　愛大・川井当局による学生自治会「非公認」「無期限の便宜供与中止」決定弾劾！──社研・国問研への「無期限の活動停止」通告を許すな！

マル学同革マル派　国立大学法人法の改悪を粉砕せよ──政府・文科省による大学へのネオ・ファシズム的な統制・強化を許すな

間垣野剛　国際卓越研究大─軍民両用技術の研究・開発拠点の構築

浦幌　静　米・中激突下で腐蝕を極める現代世界経済──＜脱グローバル化＞をめぐるせめぎ合い

＜解説特集＞イスラエルのガザ人民殺戮を許すな

パレスチナ人民の苦難の歴史と闘い／ハマスのパレスチナ解放闘争／シオニズムとは？／「ナクバ」─パレスチナ問題の起源／PLOの変質と裏切り／アメリカの中東政策／スターリン主義ソ連邦の犯罪／年表パレスチナ1915─2023

笹山登美子　「ロッタ・コムニスタ」はプーチン擁護をやめよ！

荷川取進　大幅賃上げを勝ちとったアメリカ・UAWの長期スト

東　栄次　日本郵政のヤマトとの業務提携──激増する小物荷物の区分・配達を強制する経営陣

Denounce Israel's massive attack on Gaza! Stop the Genocide against Palestinian people!

○巻末年表　2023年10月～11月

第 330 号（2024 年 5 月）

巻頭カラーグラビア　＜プーチンの戦争＞を粉砕せよ

無署名　＜プーチンの戦争＞を粉砕せよ！──ロシアのウクライナ侵略二年に際して

無署名　＜プーチンの戦争＞粉砕！──全世界の労働者・人民と連帯し全国で労学統一行動に起ちあがれ

無署名　首都にウクライナ反戦の火柱２・25──全学連・反戦が全世界人民と連帯し戦闘的デモ

闘うウクライナ人民と連帯して　その１

ウクライナ－パレスチナ連帯グループ　パ

『新世紀』バックナンバー

No.329 2024年3月	No.328 2024年1月	No.327 2023年11月	No.326 2023年9月
暗黒の世界を革命的に転覆せよ 安保強化・改憲粉砕／愛大当局の学生自治会破壊弾劾／国立大法人法の改悪粉砕／国際卓越研究大／現代世界経済の腐蝕／イスラエルのガザ人民殺戮を許すな／ロッタ・コムニスタ批判／ＵＡＷスト／日本郵政のヤマトとの業務提携	**パレスチナ人民ジェノサイドを許すな** イスラエルのガザ攻撃弾劾／革マル派結成60周年9・24革共同集会／熱核戦争勃発の危機を突き破れ／灼熱化する地球／愛大生・名大生への不当捜索弾劾／関西労働者の逮捕弾劾／職務給導入／電機連合・自治労・自治労連・全印総連	**米日韓核軍事同盟の強化を許すな** 8・6国際反戦集会の大高揚／海外からのメッセージ／プリゴジン暗殺の深層／印の戦略的自律外交／米中半導体戦争／放射能汚染水の海洋放出弾劾／続発するマイナカード関連トラブル／そごう・西武スト／給特法撤廃をかちとれ	**ワグネルの反乱 揺らぐロシア支配体制** ネオ・ファシズム政権打倒／反戦反安保・改憲阻止／反動諸法制定弾劾／岸田「新しい資本主義」／ＤＸと大失業／生成ＡＩ／コロナ「五類」／海外への反戦アピール／日共の四分五裂／ＪＰ低額妥結を否決せよ／トヨタサプライチェーン

新 世 紀　第330号（隔月刊）

日本革命的共産主義者同盟 革命的マルクス主義派 機関誌©

発行日　2024年 4月 10日

発行所　解 放 社

〒162-0041　東京都新宿区早稲田鶴巻町 525-3
電話 03-3207-1261　　振替 00190-6-742836
URL http://www.jrcl.org/

発売元　有限会社 Ｋ Ｋ 書 房

〒162-0041　東京都新宿区早稲田鶴巻町 525-5-101
電話 03-5292-1210　　振替 00180-7-146431
URL http://www.kk-shobo.co.jp/

ＩＳＢＮ 978-4-89989-330-1　　C0030